PSYCHIATRIE, RECHERCHE ET INTERVENTION
EN SANTÉ MENTALE DE L'ENFANT

P.R.I.S.M.E.

RUPTURE, RÉPÉTITION, RÉPARATION

Enjeux thérapeutiques du placement

KALÉIDOSCOPE

Volume 4, nos 2-3
été 1994

Sommaire

Responsables de rédaction: *Louise Baillargeon, Jean-Pierre Pépin*

KALÉIDOSCOPE

RUPTURE, RÉPÉTITION, RÉPARATION: ENJEUX THÉRAPEUTIQUES DU PLACEMENT

Le mot du rédacteur en chef

Il y aura cinq ans en octobre que P.R.I.S.M.E. lançait son premier numéro. Cet anniversaire nous invite à faire le point, à regarder en arrière le chemin parcouru et à sonder les pistes qui s'ouvrent devant nous. Comme on le fait pour un enfant qu'on a vu grandir... Au moment où il s'apprête à souffler les bougies, on ne peut s'empêcher de mesurer l'écart entre les attentes souvent très idéalisées jadis fondées sur lui et la petite personne réelle, vibrant sous nos yeux de la joie de grandir. Ses limites et ses imperfections ne nous échappent pas mais une vague d'indulgence et de fierté nous envahit devant la vigueur, la vitalité, les trouvailles et le potentiel de richesses qu'il recèle.

Dans le cas de P.R.I.S.M.E., notre but au départ était d'offrir au public le plus large possible de professionnels intéressés à la santé mentale des jeunes un outil de diffusion des connaissances et des expériences, en misant sur la qualité des textes, la rigueur de la réflexion et l'esprit de décloisonnement entre les diverses approches et disciplines.

Il reste sans doute beaucoup à faire pour rejoindre davantage de lecteurs et de collaborateurs dans les nombreux secteurs de pratique, mais on peut légitimement se réjouir que la revue soit de mieux en mieux connue et reconnue, tant dans les milieux cliniques que dans le réseau des services sociaux, dans les institutions d'enseignement et les centres de recherche.

En privilégiant la création de numéros construits autour d'un thème, nous désirions livrer à nos lecteurs des dossiers diversifiés et approfondis, stimulant la réflexion critique, l'exploration d'approches nouvelles, l'évaluation de pratiques et le partage d'expériences. Votre réponse favorable nous a confirmé la valeur de cette formule.

Cette politique risque toutefois de laisser croire que seuls, les articles se rapportant à un thème donné peuvent être publiés dans nos pages. Or, il n'en est rien. Nous attachons beaucoup d'importance au fait d'inclure des textes originaux, variés et soumis spontanément. Parce qu'ils ne sont pas liés aux exigences d'un thème donné, ces articles permettent une ouverture sur tous les milieux, un regard stimulant sur les diverses facettes du travail auprès des enfants, et une occasion de débats rafraîchissants sur des questions d'intérêt général. Bref, ils sont la marque concrète d'un dialogue vivant entre la revue et la communauté à laquelle elle s'adresse.

Afin d'encourager les auteurs éventuels à nous proposer leurs textes, nous inaugurons dans ce numéro le *Kaléidoscope*, une section spécialement réservée aux articles hors-thème reçus au cours de l'année et retenus par le comité de lecture. Vous retrouverez dorénavant, en plus d'un dossier thématique, cette section dans tous les numéros doubles Printemps-Eté.

Nous espérons de tout coeur que vous aurez autant de plaisir que nous à parcourir ces articles. Et surtout, nous vous rappelons que rien ne saurait nous réjouir davantage que de recevoir les textes que vous souhaiteriez nous soumettre.

Bonne lecture.

Jean-Pierre PÉPIN

P.R.I.S.M.E. été 1994, vol. 4, nos 2-3

L'ENFANT SAUVAGE DE L'AVEYRON:
UNE ANALYSE CONTEMPORAINE

Normand CARREY
Traduit par
Denise Marchand

Le docteur Normand CARREY est professeur adjoint au Département de psychiatrie de l'Université d'Ottawa et pédopsychiatre à l'hôpital Royal d'Ottawa.
Ses domaines d'intérêt comprennent l'histoire de la pédopsychiatrie, la psychopharmacologie infantile, la psycho-physiologie chez les enfants et l'épistémologie appliquée à la psychiatrie.

Nous nous proposons dans cet essai de reprendre l'étude du cas de Victor, connu sous le nom de *Sauvage de l'Aveyron*, et de sa relation avec Itard, en l'utilisant comme une fenêtre ouverte sur le monde médical et la société française pour tenter de comprendre la vision de l'enfance et la conception de l'éducation et de l'anormalité retrouvées dans la France du 19e siècle. Il est certain que le cas de Victor qui était regardé comme une curiosité, un être faisant exception à toutes les règles, a représenté un véritable défi pour le système établi, à preuve, les divergences de vues entre Itard et Pinel à son sujet. L'analyse de ces positions, telles qu'on peut les retrouver dans divers documents historiques, devrait permettre de dégager certaines tendances qui apparaissent de façon récurrente dans les discours tenus par les adultes sur l'éducation des enfants, la déviance et la psychopathologie infantile.

De fait, le cas de Victor a fourni aux différents cercles de la société française une occasion unique de débat, exposant ainsi les conflits qui existaient entre la théorie et l'expérience des faits. Par cette étude de l'Enfant sauvage, notre but est de montrer comment certains facteurs, qu'ils soient d'ordre scientifique ou qu'ils relèvent du domaine

L'auteur désire remercier le Dr Toby Gelfand, professeur d'Histoire de la médecine à l'Université d'Ottawa, pour ses conseils et son appui au cours de la rédaction de cet essai.

L'auteur pose un regard critique sur l'histoire de Victor, l'Enfant sauvage de l'Aveyron, et de sa relation avec Itard, en rappelant le débat engendré par ce cas dans la France du 19e siècle et la fascination qu'il n'a cessé d'exercer depuis.

Dans la première partie, il esquisse un portrait du milieu médical et scientifique français, au moment du rapport de Pinel sur l'Enfant sauvage et du «traitement moral» tenté par Itard. En s'appuyant sur d'autres cas, l'auteur tente ensuite de mieux comprendre le phénomène de l'enfant sauvage qu'il distingue de celui de l'enfant abandonné, comme il s'en trouvait de plus en plus dans la société française de l'époque. Puis, un bref exposé de la vie et de l'oeuvre d'Itard permet de mieux saisir l'héritage intellectuel qu'il a laissé aux générations d'éducateurs et de médecins jusqu'à aujourd'hui. Enfin, l'auteur fait ressortir les implications de cette histoire pour le discours contemporain, considérant la compréhension qu'ont les adultes du comportement de l'enfant, de l'éducation et de l'anormalité.

médical ou extra-médical, peuvent influencer nos attitudes à l'égard des enfants et les conceptions que nous entretenons sur leur bien-être et leur besoin de protection.

Itard et Pinel

Avant sa «capture officielle» alors qu'il était jeune adolescent, Victor, comme le nomma Itard, avait été aperçu au cours des années précédentes dans les forêts avoisinant Lacaune, au sud du département français de l'Aveyron. Il avait survécu à des hivers considérés comme les plus froids connus dans la région, circulant pratiquement sans vêtements et se nourrissant de glands et de pommes de terre ramassés dans les champs cultivés par les paysans de l'endroit. On suppose qu'il avait été abandonné vers l'âge de six ans.

Ce fut le citoyen Constans-Saint-Estève qui, le premier, réalisa l'importance de la découverte, lorsque trois chasseurs ramenèrent l'enfant de force au village de Saint-Sernin. Il en informa aussitôt les autorités qui donnèrent l'ordre de le transférer à Paris, et très vite, la nouvelle de cet enfant qu'on disait être un sauvage se répandit partout. C'est à partir de ce moment que, malgré ses nombreuses tentatives de fuite, Victor fut toujours rattrapé à cause de ce qu'il représentait pour la médecine et la science.

Tenter de situer l'histoire de l'Enfant sauvage dans le contexte très mouvant de la France à l'aube du 19e siècle, c'est d'abord offrir un exemple saisissant du jeu complexe d'influences qui peut exister entre les mondes de la médecine, de la politique et de la culture en général. L'histoire de Victor représente le cas par excellence d'une telle rencontre, à un moment où la ferveur post-révolutionnaire imprégnait toutes les classes de la société. C'est de façon immédiate que les milieux scientifiques s'intéressèrent au Sauvage de l'Aveyron, intérêt qui prit sa source dans la curiosité *«éclairée»* de Lucien Bonaparte, alors ministre de l'Intérieur. C'est lui en effet qui ordonna que l'enfant soit amené vers «la capitale», afin que des savants puissent l'observer et se prononcer sur son cas.

Frontispice de l'éducation d'un homme sauvage, dans *Victor de l'Aveyron* (Gineste, 1981).

Le rapport de Pinel et, plus tard, les deux mémoires d'Itard sur l'Enfant sauvage furent parrainés par la *Société des Observateurs de l'homme* qui regroupait des philosophes, des savants et des médecins. Première société anthropologique à voir le jour en décembre 1799, (an VIII de la République) elle comptait, parmi ses membres, Lamarck, Cabanis, Pinel, Fourcroy, l'abbé Sicard, Dégerando et Jauffret, qui en était le secrétaire permanent.

Le but de cette société était de réunir dans un cadre commun les sciences de l'homme et de la nature, en même temps que de proposer une philosophie officielle à la société révolutionnaire (Stocking, 1968). Aussi, ses membres virent-ils dans l'Enfant sauvage l'occasion rêvée de vérifier les théories de Rousseau, de Condillac et de Locke, à savoir *«qu'il serait bien important pour les progrès des connaissances humaines (...) de constater si la condition de l'homme abandonné à lui-même est tout à fait contraire au développement de l'intelligence.»* (Lettre de L.F. Jauffret du 29 janvier 1800, in Gineste, 1981, p. 21).

L'abbé Bonnaterre, un botaniste reconnu, fut le premier autorisé à faire un examen de l'enfant. Son rapport sera suivi d'une série d'autres mémoires produits par des experts, incluant Sicard, Virey, Pinel, Dégerando, Itard, puis plus tard, par bon nombre d'observateurs moins importants. Dans la seconde moitié du 19e siècle, d'autres médecins apporteront leurs commentaires: c'est le cas de Delasiauve en 1865, dans le *Journal de Médecine mentale*, et de Bourneville en 1894, dans *Le Progrès médical*.

Les questions suscitées par l'Enfant sauvage ont été et demeurent une source d'analyse continuelle pour les psychiatres et les psychologues, tant en France qu'ailleurs dans le monde. Faut-il voir cette recherche comme une obsession, sinon un besoin d'interroger le mythe des origines? Ou encore, cette question qui occupe l'histoire et la psychiatrie ne ferait-elle pas plutôt partie d'une quête des principes fondamentaux qui apparaît essentielle, tant pour la théorie que dans la pratique de ceux qui doivent donner un sens à la souffrance humaine?

La plus grande marque de courage moral et intellectuel dont fit preuve Itard tient sans doute dans son rejet de l'avis pessimiste émis par Pinel au sujet de l'Enfant sauvage. Pinel était alors au sommet de sa carrière et venait de publier son *Traité médico-philosophique sur l'aliénation mentale ou la manie* (1800). Acclamé en France et à travers l'Europe, il était reconnu comme *«le grand aliéniste»* pour son «traitement moral» des malades mentaux. Itard n'était encore qu'un obscur étudiant en médecine qui assistait avec grand enthousiasme aux cours de Pinel à la Société médicale d'Emulation, et il reconnaîtra lui-même plus tard l'impact qu'a eu sur lui le premier ouvrage de Pinel, sa *Nosographie philosophique*, publiée en 1798.

Les observations de l'Enfant sauvage faites par Pinel suggéraient que Victor partageait plusieurs des caractéristiques retrouvées chez les idiots internés à Bicêtre et à la Salpêtrière, ce qui condamnait l'enfant qui, en conséquence, fut jugé inéducable. L'idiotisme (nommé idiotie plus tard par Esquirol) posait un problème pratique à Pinel; en faisant une enquête sur ses patients de Bicêtre, il avait trouvé que 25% d'entre eux entraient dans la catégorie des idiots. Ce groupe ne répondait pas très bien à son traitement moral et il ne pouvait donc s'attendre à des succès thérapeutiques de ce côté. Aussi, recommandait-il qu'ils soient séparés des autres malades et, en matière de traitement, qu'on les gardât simplement occupés à des travaux manuels. Un des signes diagnostiques de l'idiotie était l'absence de langage, *«avoir perdu l'usage de la parole»* (Pinel). C'est peu après avoir entendu le sombre pronostic de Pinel, qu'Itard décida de prendre en charge le *«traitement moral»* de Victor à l'Institut des Sourds-Muets de l'abbé Sicard.

Si Pinel proposait un nouveau paradigme pour le traitement des aliénés, Itard luttait, lui, contre Pinel. Ce dernier portait, en fait, deux chapeaux: celui de nosologiste et celui de clinicien qui, à ce titre, avait besoin de méthodes pour traiter ses patients. En tant que nosologiste, il s'en remettait à la méthode de classification alors courante dans les sciences naturelles: l'observation et la corrélation des signes et des symptômes entre eux. Quant au clinicien, il était inspiré par les idées révolutionnaires de libération ou d'affranchissement, d'où son «traitement moral» des aliénés. L'idée de développement lui était cependant étrangère. Itard, de son côté, en se basant sur le courant de philosophie sensualiste, avait interprété les capacités limitées de Victor comme le résultat de son adaptation à son environnement, i.e. en fonction de la notion de développement, et si tel était le cas, l'Enfant sauvage pouvait, selon lui, être rééduqué.

La philosophie n'était pas perçue à l'époque comme une lointaine parente de la médecine, comme c'est le cas aujourd'hui. Dans son approche de l'Enfant sauvage, Itard utilisait une pédagogie inspirée des idées mises de l'avant par Condillac qui posait la primauté de l'expérience sensible, i.e. que les sensations d'où dérivent les idées, servent de canal à la connaissance. Dans leur article, Postel et Gineste (1980) défendent Itard contre les accusations d'un de ses disciples, Seguin, qui sera l'un des premiers éducateurs auprès de déficients mentaux; celui-ci laisse entendre que la pédagogie d'Itard n'était qu'une application aveugle de la philosophie de Condillac, ce qui eut pour résultat de l'enfermer dans un système d'idées préétablies. Il est vrai qu'Itard commence son premier mémoire en citant Condillac: «*Le plus grand fonds des idées des hommes est dans leur commerce réciproque.*» (Gineste, 1981, p. 217). Cet argument était assurément la pierre angulaire de la défense présentée par Itard contre Pinel, à savoir que l'Enfant sauvage n'était pas un idiot, mais plutôt, que son intelligence se limitait à répondre aux besoins immédiatement liés à sa survie. Si Itard comprit cela, il ne put cependant prévoir les obstacles considérables qu'il allait rencontrer.

Et c'est ainsi qu'il se lança dans un ambitieux programme qui devait rééduquer Victor, et qui incluait: «*1. l'attacher à la vie sociale, en la lui rendant plus douce que celle qu'il menait alors, et surtout plus analogue à la vie qu'il venait de quitter, 2. réveiller la sensibilité nerveuse par les stimulants les plus énergiques, et quelquefois par les vives affectations de l'âme, 3. étendre la sphère de ses idées en lui donnant des besoins nouveaux, et en multipliant ses rapports avec les êtres environnants, 4. le conduire à l'usage de la parole, en déterminant l'exercice de l'imitation par la loi impérieuse de la nécessité, 5. exercer pendant quelque temps sur les objets de ses besoins physiques les plus simples opérations de l'esprit, et en déterminer ensuite l'application sur des objets d'instruction.*» (Premier mémoire d'Itard, in Gineste, 1981, p. 225).

Un an après l'arrivée de Victor à Paris, Lucien Bonaparte fut remplacé par Chaptal qui, en tant que nouveau ministre de l'Intérieur, se montra hostile, sinon moins convaincu que son prédécesseur de la valeur pour la médecine du cas de l'Enfant sauvage. C'est alors que Pinel qui était un ancien collègue de classe de Chaptal, voyant que certains progrès avaient été réalisés par Victor, alla jusqu'à intervenir personnellement en faveur d'Itard, réussissant ainsi à épargner au garçon une ordonnance d'internement presque certaine qui l'aurait condamné à une vie de misère à l'asile de Charenton. Les événements forcèrent cependant Itard à publier le résultat de ses premières tentatives de rééducation après seulement huit mois de travail; l'enfant ne parlait toujours pas, même s'il avait progressé rapidement dans son adaptation à sa nouvelle vie. Ce premier mémoire qui rendit Itard aussitôt célèbre fut publié en français et en anglais.

Un autre courant d'idées influença Itard, tout au moins au début. Il s'agissait de la vogue répandue dans la France post-révolutionnaire à propos des idées de Rousseau sur le «bon sauvage» et sur la société jugée responsable de la corruption de l'homme. Malgré ce courant, Itard n'en exprimera pas moins fortement, et ceci dès la fin de son premier mémoire, ses conclusions basées sur ses observations de Victor et qui le situent à l'opposé de Rousseau. L'homme, laissé dans un état naturel, ne possède pas de supériorité physique ou morale innée, comparé au reste du règne animal, i.e.: «*1. Que l'homme est inférieur à un grand nombre d'animaux dans le pur état de nature, 2. Que cette supériorité morale, que l'on a dit être naturelle à l'homme, n'est que le résultat de la civilisation qui l'élève au-dessus de tous les autres animaux par un grand et puissant mobile, 3. Qu'il existe chez le sauvage le plus isolé comme chez le citadin élevé au plus haut point de civilisation, un rapport constant entre leurs idées et leurs besoins.*» (Premier mémoire d'Itard, in Gineste, 1981, p. 251). Les observations d'Itard et ses conclusions qui allaient à l'encontre des idées communément admises par l'élite intellectuelle et médicale du temps suscitèrent aussitôt une vive controverse.

Pour revenir à la rééducation de Victor, on sait que le succès initial remporté par Itard dans son enseignement reposait sur quelques méthodes non verbales qui permettaient à Victor d'exprimer ses besoins; ce faisant, l'élève prouvait à son maître qu'il était capable d'apprendre. Itard et son protégé avaient coutume d'aller chaque jour visiter des amis à l'Observatoire, et pour l'occasion, Victor avait pris l'habitude d'apporter un bol dans lequel on lui servait du lait. Itard lui avait enseigné durant ses sessions le mot l-a-i-t (chaque lettre étant représentée sur un bloc de bois), et c'est ainsi qu'à la surprise générale, Victor tira une fois les «lettres» de sa poche, signifiant par là qu'il voulait du précieux liquide.

Encouragé par ces premiers succès, Itard voulut enseigner à Victor à penser les objets en termes de concepts, i.e. en référant aux choses selon leur appartenance à des catégories. Hélas, le pauvre Victor ne put jamais se rapporter aux objets autrement que de manière concrète ou sinon, de mémoire, et encore plus décevant, il ne parvint jamais à parler. Itard persistera tout de même dans sa lutte pour apprendre à Victor à communiquer, et ce n'est qu'au bout de quatre ans que, découragé devant l'absence de progrès, il abandonnera l'expérience pour rappeler 25 ans plus tard: «*la plus grande partie de ses journées sacrifiées à cette expérience... l'enfant qui ne recueillit pas de (ses) soins tous les avantages (qu'il) en avait espérés*» (Gineste, 1981, p. 70). Néanmoins, Itard utilisera ce qu'il avait appris avec Victor dans le traitement d'autres cas de surdimutité, comme nous le verrons plus loin.

Plus tard, soit en 1806, Lucien Bonaparte qui était revenu au pouvoir, ordonna le remplacement de Chaptal comme ministre de l'Intérieur par Champagny. Celui-ci, à la demande pressante de Dégerando, encouragea Itard à écrire son dernier mémoire sur l'Enfant sauvage. Si ce n'avait été de l'intérêt manifesté par Champagny et Dégerando, Itard, qui avait abandonné son projet, n'aurait pas rendu publiques ses observations, persuadé qu'il avait échoué dans sa tâche de rééduquer Victor. Si, dans ce cas, les visions de la médecine et de la politique coïncidèrent, amenant leurs objectifs complémentaires à se rejoindre, on sait que ce scénario est peu fréquent dans la médecine et la politique nord-américaines contemporaines.

Victor, le Sauvage de l'Aveyron, devint ensuite un problème, en raison de son âge et de ses troubles de comportement. Renvoyé de l'Institut des Sourds-Muets, il fut recueilli par Mme Guérin qui en avait pris soin depuis son arrivée à l'Institut, et qui le garda chez elle en échange d'une petite pension versée par l'Etat. Il mourut en 1828, pratiquement inconnu et oublié de tous, au no. 4 de l'impasse des Feuillantines, à quelques portes de l'allée où Victor Hugo avait lui-même passé son enfance.

Le phénomène de l'Enfant sauvage

Pour comprendre le phénomène de l'Enfant sauvage, i.e. d'un enfant muet et abandonné qui se trouve transformé en un objet d'investigation par la médecine et la société, il faut retourner au contexte dans lequel il s'inscrit, celui de la société parisienne dans la France post-révolutionnaire du 19e siècle. Deux éléments doivent ici être relevés mais qui, en un sens, introduisent un double niveau de compréhension: il s'agit, d'une part, du problème alarmant à l'époque du nombre croissant d'enfants abandonnés et de la charge qu'ils représentaient pour l'Etat et, d'un autre côté, de la fascination exercée dans la haute société par un roman (transposé ensuite au théâtre) de Ducray-Duminil qui, en 1796, s'intéressa au thème d'un enfant abandonné dans la forêt.

C'est ainsi que Le Mercure de France publia en 1801 un article qui dénonçait comme une plaie sociale le nombre d'enfants abandonnés: «*Le nombre des enfants abandonnés augmente tous les jours d'une manière effrayante pour la morale et la société qui doit un jour recevoir dans son sein ces êtres malheureux.*» (mars-avril 1801, in Gineste, 1981, p. 17). C'est dans cette même année que Chaptal, alors ministre de l'Intérieur et responsable des hospices, estima que 60,000 enfants étaient à la charge de l'Etat, comparativement à 40,000, quinze ans plus tôt.

Itard commença le traitement de Victor en décembre 1800, à peu près au même moment où le roman de Ducray-Duminil était porté à la scène. Il est difficile de penser qu'il n'ait pas eu connaissance de la pièce dont parlait toute la ville. Peut-on parler ici d'un intérêt, sinon d'une prise de conscience qui s'est étendue de façon simultanée dans la société et le milieu médical? Il faut voir que les questions touchant la socialisation et la rééducation des enfants sauvages étaient au centre du débat philosophique qui, à l'époque, ne tenait pas compte de la relation mère-enfant. Itard, quant à lui, était moins préoccupé par le fait que Victor ait été abandonné que par la question: un tel enfant peut-il apprendre à parler? C'est donc à la lumière de ces faits qu'on peut comprendre le silence et les tabous qui marquaient le sort de ces enfants.

Ceci nous conduit au problème posé spécifiquement par les enfants sauvages (enfants s'occupant seuls d'eux-mêmes et grandissant dans la nature). Dans sa dissertation, l'abbé Bonnaterre (1800) expose les quelques données disponibles sur les cas connus, mais sa formation de botaniste l'amène à s'appuyer sur la classification de Linné qui catégorisait les espèces, en se servant de noms latins; il semble en effet que Bonnaterre se soit servi sans critique de cette méthode pour classifier les cas, un peu comme s'il s'agissait de plantes! (Fait à noter, Itard lui-même référera à Victor comme à *l'Homme-Plante*, en raison de la perception qu'il en avait, d'un être vivant simplement pour exister...).

Il apparaît donc que pour Itard, de même que Bonnaterre et bien d'autres savants de l'époque, les enfants sauvages formaient une espèce à part, distincte de celle des enfants abandonnés (laissés à eux-mêmes dans la société). De fait, les principales préoccupations sociales et scientifiques entretenues à leur propos étaient d'ordre philosophique (en référence au débat sur la nature humaine) ou pédagogique (questions liées à l'éducation et la réhabilitation de ces enfants, de même qu'à leur acquisition du langage).

Lucien Malson, dans son livre *Les enfants sauvages* (1964), s'est efforcé de dissiper plusieurs des préjugés à l'égard de ces enfants laissés à eux-mêmes dans le plus profond isolement, en mettant en perspective le débat philosophique qu'il reprend en y introduisant les idées de Lévi-Strauss, Sivadon et Merleau-Ponty. Si l'on s'arrête aux cas relevés par Malson dans la littérature mondiale, on ne peut s'empêcher d'apercevoir certaines caractéristiques communes à tous ces enfants et qui sont partagées aussi bien par Victor, soit: 1. l'absence de langage; 2. le surinvestissement de certains sens (odorat) mais l'atrophie d'autres sens (absence de perception de la profondeur, au plan de la vision); 3. un développement de l'intelligence, mais seulement en fonction de besoins liés à la survie immédiate, et 4. un intérêt dormant ou pratiquement inexistant pour la sexualité.

Ce portrait type montre bien qu'il ne s'agit pas d'êtres totalement incivilisés mais plutôt de caractéristiques telles que nous les connaissons chez l'enfant, et qui restent dépendantes de la maturation de son système nerveux et de stimulations appropriées à son âge (dont résultent le langage et la socialisation). Vu sous cet angle, Victor n'était ni déficient ni autistique; il avait plutôt manqué de stimulations (au plan du langage) mais il était autrement bien adapté à son environnement.

Il peut être utile, à ce propos, de rappeler brièvement quelques références de la littérature psychiatrique ayant trait à la carence de soins maternels. René Spitz (1945) fut l'un des premiers à en décrire les conséquences chez les enfants placés en institution (hospitalisme). Après lui, Bowlby (1969) développa sa théorie de l'attachement en décrivant les troubles psychologiques entraînés par la rupture des liens entre la mère et l'enfant. La confirmation de ces théories fut apportée, au plan expérimental, par Harlow (1958) qui remarqua que les singes soumis à un isolement prolongé étaient agressifs, antisociaux et sans intérêt pour la reproduction de l'espèce. Ainsi fallut-il 145 ans pour réaliser l'importance de la relation mère-enfant et son impact sur le développement. C'est en se référant à ces données qu'on peut avancer que Victor s'était, somme toute, bien adapté aux tâches proposées par Itard et à son nouveau milieu.

L'héritage intellectuel d'Itard

Docteur Itard, 1838, dans *Victor de l'Aveyron* (Gineste, 1981)

Le Sauvage d'Itard et son oeuvre passèrent à l'oubli pendant quelques décennies, l'opinion médicale ayant conclu qu'Itard avait erré. C'est le diagnostic d'idiotie posé par Pinel qui a malheureusement prévalu et il aura influencé des générations de médecins, de Seguin et Esquirol à Delasiauve et Bourneville. Mais plus encore que Pinel, peut-être est-ce Esquirol, en attaquant Victor et indirectement son éducateur, qui a biaisé l'opinion, en faisant voir cet enfant comme un idiot. Gineste (1981), dans son livre sur Victor, attribue à Esquirol la responsabilité d'avoir créé le mythe, à savoir que Pinel et Itard avaient des visions opposées, et que c'est finalement Pinel qui détenait la vérité: «*Que le médecin observateur (Pinel) avait bien jugé. Le Sauvage n'était autre qu'un idiot*» (p. 88). Ce mythe trahit en fait la réalité, puisque Pinel intervint plusieurs fois en faveur d'Itard pour lui permettre de poursuivre le traitement de l'Enfant sauvage. Il faut ajouter ici que tout comme Pinel, Esquirol était d'avis qu'il n'existait pas de maladie mentale chez l'enfant, ces manifestations n'apparaissant, selon lui, qu'après la puberté (Esquirol, 1845). Ajoutons cependant, qu'Esquirol ne disposait d'aucune nosologie pour classifier les troubles d'apprentissage et les effets de privations dues à l'environnement.

Ce n'est que beaucoup plus tard, en 1865, que Delasiauve, qui était en charge d'un service d'enfants épileptiques et déficients à Bicêtre, fondateur du *Journal de Médecine mentale*, promoteur de l'éducation pour les enfants déficients et mentor de Bourneville, réalisa que le travail d'Itard n'avait pas reçu la reconnaissance qu'il méritait. Il chercha à comprendre pourquoi le nom d'Itard n'était pas mentionné plus souvent dans les travaux sur l'aliénation mentale, spécialement ceux traitant de l'éducation des idiots. Cependant, malgré ses éloges, Delasiauve maintint que l'Enfant sauvage était un idiot et que la thérapie d'Itard n'était que pratique et occupationnelle.

Bourneville, pour sa part, organisa en 1879 à Bicêtre le premier service d'enfants épileptiques et déficients mentaux. Dans une revue des types d'idiotie qu'il présente en 1894, il espère accroître l'intérêt public et l'attention médicale sur cette condition et procurer à ces enfants de meilleurs soins médicaux et pédagogiques. Il dédie son premier livre, *Les enfants de Bicêtre*, à Itard mais, après l'avoir loué, il mentionne que le diagnostic erroné posé par Itard dans le cas de l'Enfant sauvage est la raison qui a amené ce dernier à développer sa pédagogie: «*Il crut à la perfectibilité de l'enfant et cette erreur de diagnostic nous a valu ses deux beaux rapports.*» (p.viii, 1894).

Ce ne fut pas avant les travaux de médecins tels que Kanner qui, en 1940, décrivit l'autisme infantile, et Spitz qui, en 1945, montra les effets délétères de la carence de soins maternels, que bien des conceptions erronées purent être levées au sujet du diagnostic et des troubles de l'Enfant sauvage. Bettelheim (1967) est d'accord, quant à lui, que le cas de Victor relève de l'autisme, mais il y associe des causes psychologiques. Uta Frith (1989) est elle aussi convaincue que Victor est un cas classique d'autisme. Il faut cependant voir ici que Gineste et Postel (1980) s'opposent à tous les auteurs déjà cités en soutenant que l'histoire de l'Enfant sauvage n'est pas celle d'une découverte médicale mais qu'elle relève d'un processus beaucoup plus fondamental, celui du combat qui oblige le patient - et le médecin aussi bien - à faire face à sa propre humanité et aux limites de la condition humaine. Cette lutte en chacun ne peut être comprise ni enfermée dans une classification. De fait, Victor et son combat nous renvoie une image de nous-mêmes, bien plus qu'il n'est le porteur d'un diagnostic médical commode dont une des fonctions est d'installer une distance entre ce qui est normal et ce qui ne l'est pas.

Si l'on considère la vie et l'oeuvre d'Itard, il ne fait aucun doute qu'il a été un praticien respecté de son temps. Il reçut en 1814, en même temps que Pinel, la Légion d'Honneur de l'Académie Française de Médecine, et il fit partie, en 1822, du premier groupe de médecins, toujours avec Pinel, reçus à l'Académie. Ses travaux furent largement publiés non seulement en français mais en anglais et en allemand, et il fut un collaborateur régulier du *Dictionnaire des Sciences médicales.*

Les écrits d'Itard peuvent être répartis en quatre catégories, même si certains articles chevauchent ces champs d'intérêt. Dans la première, on retrouve ses travaux se rapportant à la médecine en général, telles que sa thèse sur les congestions pulmonaires et ses nombreuses contributions au *Dictionnaire des sciences médicales* sur divers sujets associés aujourd'hui à la médecine interne. Une seconde catégorie consiste dans ses recherches en anatomie et sur le traitement des troubles d'audition, qui se situent tout près d'un troisième champ d'intérêt, celui de l'investigation de divers types d'audimutité et de leur traitement (réhabilitation de la surdité et apprentissage du langage aux muets). Enfin, un quatrième champ comprend les travaux d'Itard sur les traitements psychiatriques ou moraux, dont les deux mémoires sur Victor, puis une traduction faite en 1827, avec Esquirol, du traité de Hoffbauer, *Médecine légale relative aux aliénés et aux sourds-muets*, et enfin, son article qui nous apparaît le plus novateur, *Mémoire sur le mutisme produit par la lésion des fonctions intellectuelles,* publié en 1828.

Si l'on devait tracer au fil de l'oeuvre d'Itard un thème central à celle-ci, on s'aperçoit qu'aucun ne ressort de manière évidente, comme c'est le cas pour Pinel ou dans l'oeuvre de Freud, par exemple. Ses sujets d'étude concernent les différentes causes de la surdimutité, ce qui l'amène à se questionner sur son origine congénitale (vision anatomique des maladies) ou à la voir comme résultat de privation (vision physiologique du mal). Doit-on conclure ici à une incohérence de la pensée chez Itard ou sinon, reconnaître notre incapacité de comprendre la pensée médicale du 19e siècle pour laquelle la division entre corps et esprit, ou entre cerveau et pensée, ne représentait pas le problème épistémologique qu'il est devenu en psychiatrie, en neurologie et pour la médecine moderne en général? De toute façon, la psychiatrie n'était pas vue comme une spécialité, et d'un strict point de vue économique, les médecins devaient pratiquer comme généralistes s'ils voulaient tout simplement s'assurer des revenus suffisants (Goldstein, 1987).

Ceci nous amène à l'une des plus tardives contributions d'Itard, son *Mémoire sur le mutisme produit par la lésion des fonctions intellectuelles,* qu'il lut en 1828 devant l'Académie de Médecine, dix ans avant sa mort. Dans ce rapport, il propose des méthodes d'évaluation pratique pour distinguer les sourds-muets d'origine organique de ceux souffrant de lésions des fonctions intellectuelles. Parlant de ces derniers, il en donne une description étrangement similaire à celle de Kanner qui créera le terme d'autisme: *«des fonctions affectives (...) se montrent plus caressants qu'affectueux, violents et mobiles dans le petit nombre de leurs volontés, ne connaissant, pour les satisfaire, ni obstacles, ni convenances morales, ni droit de propriété, et qu'enfin, sous le rapport de leurs besoins, leurs goûts, leurs passions, ils nous offrent à l'âge de dix, douze, quinze ans, tous les caractères de la première enfance.»* (1828, p. 112). On voit combien Itard avait remarquablement intégré les observations faites au contact de Victor; s'il pensait avoir échoué, il n'en avait pas moins retenu des connaissances fort utiles qui lui ont permis d'avancer dans la compréhension des causes intellectuelles sous-jacentes au mutisme.

Transposée dans une terminologie moderne, la description faite par Itard correspond aux troubles envahissants du développement dont la forme la plus sévère est l'autisme infantile; il séparait cependant les causes sensorielles associées au mutisme des troubles généraux du développement. Même si Itard n'avait pas assez d'informations pour considérer l'étiologie, il n'en mentionnait pas moins qu'il était important d'étudier la relation parent-enfant, *«...l'étendue des relations établies entre l'enfant et ses parents»* (1828, p. 112). C'est ainsi que, dans ce travail, Itard anticipe sur ce qui deviendra deux des thèmes majeurs de la pédopsychiatrie du 20e siècle: le développement de l'enfant et les effets entraînés par la carence (négligence et abus). Gineste fait aussi valoir qu'Itard a été l'un des premiers à utiliser le terme de «dysharmonie», plus tard utilisé dans la nosologie de Bleuler pour les schizophrènes, et par d'autres auteurs en parlant des troubles du développement. Evidemment, ceci ne règle pas la controverse au sujet de

Victor, à savoir si l'Enfant sauvage souffrait d'un retard de développement dû à des troubles congénitaux ou à une privation de soins, mais il faut admettre ici que les meilleurs diagnosticiens de notre époque ne pourront probablement trouver de réponse meilleure que celle apportée autrefois par Itard lui-même.

L'héritage intellectuel laissé par Itard a été largement documenté par le psychologue Harlan Lane (1976) qui lui attribue, entr'autres titres, celui d'avoir fondé l'approche behaviorale (modification de comportement), d'être le premier spécialiste de la parole et du langage, et aussi de l'oto-rhino-laryngologie, et enfin d'avoir créé la méthode d'éducation orale pour les enfants sourds et initié l'éducation spécialisée pour les enfants mentalement et physiquement handicapés. En plus d'avoir directement influencé Edouard Seguin qui appliqua ses méthodes au traitement moral des malades mentaux incurables de la Salpêtrière, la pensée d'Itard a marqué le monde de l'éducation spécialisée jusqu'aux développements advenus avec Maria Montessori.

Postel et Gineste (1980) ont-ils raison d'attribuer à Itard le titre de père de la pédopsychiatrie? Ils invoquent comme argument le fait qu'Itard sut montrer, contrairement aux tenants de telle école ou théorie, les aspects communs de troubles retrouvés chez le sourd, l'idiot et l'aliéné. D'un point de vue strict, Itard n'eut pas beaucoup d'étudiants, comme ce fut le cas de Pinel ou d'Esquirol. Son nom n'apparaît même pas dans le livre de Semelaigne (1934) sur les grands psychiatres français d'avant et après Pinel. L'observation systématique des enfants et de leur vie fantasmatique a commencé avec Anna Freud, mais Itard peut certainement être considéré, sinon comme le père de la pédopsychiatrie, du moins comme un précurseur, si l'on tient compte de ses découvertes de la psychopathologie et du développement, de son immense dévouement à l'égard des enfants, et enfin, de ce que Postel et Gineste lui reconnaissent de fait, i.e. d'avoir été le premier à établir une *relation psychothérapeutique avec un enfant*.

Dans notre dernière remarque à propos d'Itard, nous ajouterons ici que même en parlant de lui dans un contexte plus large, il est pratiquement impossible de revenir à ce maître sans mentionner l'Enfant sauvage. Tel que plusieurs auteurs l'ont dit, les parents adoptifs de Victor sont indubitablement Mme Guérin et Itard. De même que d'autres grands médecins ont eu des patients célèbres pour leur montrer la voie, il existe un lien d'une qualité organique indéfinissable entre Victor et son maître. C'est sans doute le caractère indomptable de Victor qui poussa Itard à poursuivre le traitement; malgré la frustration ressentie à certains moments, ses efforts durent se trouver récompensés à d'autres, devant les apprentissages réalisés par Victor. C'est ainsi que le mythe du Sauvage de l'Averyon ne peut être séparé de celui du grand médecin que fut Itard.

Implications pour la médecine et la pédopsychiatrie

Thierry Gineste (1981) soutient dans son livre que Victor est le dernier enfant sauvage et le premier *«enfant fou»*. Malgré ce titre qui dispose un peu artificiellement d'un mythe pour en annoncer un autre, c'est en quelque sorte l'une des nombreuses facettes d'un prisme qui nous est proposée, et par laquelle se trouve défini le statut changeant de l'enfant dans chaque société. (voir l'excellent article de DiNicola, à ce sujet).

Institution royale des sourds-muets de Paris (1843). *On remarque à droite le bassin où Victor venait rêver. L'appartement de J.M.G. Itard se trouve aux 2e et 3e étages du bâtiment en équerre à gauche. Dans Victor de l'Aveyron, de T. Gineste, 1981.*

Encore aujourd'hui, on assiste à des tentatives de diagnostic «post-mortem» du cas de Victor qui continue de fasciner et de soulever un intérêt toujours aussi vif, comme en témoignent les travaux de Postel et Gineste, ceux de Lane et de Shattuck, pour n'en nommer que quelques-uns. Mais on peut dire que c'est avec le film de François Truffaut (qui a d'ailleurs joué lui-même le rôle d'Itard) que le mythe de l'Enfant sauvage aura acquis une audience universelle.

Pour terminer, en nous appuyant ici sur les idées avancées par Michel Foucault (1963, 1966, 1975) et son concept de *«matrice de pouvoir étendu»*, et celles du philosophe Thomas Kuhn (1970), plus précisément, le concept kuhnéen de *«valeurs et d'idées partagées à l'intérieur d'une communauté»*, nous avancerons que l'ensemble des circonstances entourant la rencontre de l'Enfant sauvage et d'Itard a produit trois *scénarios épistémologiques* qui donnent lieu à autant de discours différents que nous définirons comme suit:

1. un discours commun à la médecine et à la sociologie, qui nous paraît cependant tirer à sa fin, en raison de l'attention accrue portée par les adultes aux questions concernant l'enfant;

2. un discours ouvert, i.e. en perpétuelle mutation et auto-généré (qui se redéfinit, à mesure que les idées changent);

3. un discours fondé sur ce que nous appellerions la valeur mythopoïétique ou le statut de super-paradigme attaché à l'histoire de l'Enfant sauvage et d'Itard qui, celui-là, continue de nous enchanter.

Une autre hypothèse pourrait être avancée ici, reposant sur la culpabilité inconsciente collective rattachée au fait que des adultes abandonnent de jeunes enfants; ce scénario peut cependant aussi bien servir à ouvrir qu'à refermer les discours.

Concernant la première hypothèse, on pourra répondre, en se plaçant d'un point de vue médico-sociologique, que la société est maintenant attentive aux conséquences de l'abandon et de la carence de soins maternels. En pareil cas, on peut penser qu'au moins quelques tentatives seront faites pour assurer à chaque enfant un environnement psychologique adéquat (de même que tous les enfants du monde devraient être adéquatement nourris).

Depuis deux siècles, nombre de savants, d'historiens et de médecins ont apporté des arguments pour ou contre les conclusions auxquelles était arrivé Itard. En reprenant cette discussion, pourrait-on dire qu'un Bourneville ou un Delasiauve, par exemple, tentaient de se défendre contre l'angoisse inconsciente associée à la vision pénible de certains enfants abandonnés qui étaient sous leurs soins? L'humanité vient tout juste de se réveiller d'une profonde amnésie, ou dit autrement: la société a évolué de telle manière que la conscience humaine peut finalement affronter la douleur et le sentiment d'abandon liés à sa propre enfance.

C'est dans cette même perspective que Masson (1984) soutient que Freud a remplacé sa première théorie de la séduction par celle du «fantasme» de séduction, parce qu'il ne pouvait supporter cette réalité horrible qu'un enfant soit victime d'abus sexuel. Pourrait-on voir là un scénario qui a permis à Freud de faire un pas, une incursion dans l'inconscient, scénario qu'il n'a pu cependant poursuivre plus loin?

DiNicola soutient pour sa part que Freud, dans *Moïse et le Monothéisme* (1939), en suggérant une équivalence entre les enfants et les primitifs, a contribué à renforcer un biais présent chez les adultes, i.e., leur incapacité à prendre au sérieux la souffrance des enfants. Deux découvertes sont venues parallèlement au cours de ce siècle montrer les effets de la carence de soins maternels et de l'abus, dénonçant ainsi les mauvais traitements infligés par les adultes aux enfants. L'interdit étant désormais levé, peut-on penser que la loi du silence observée si longtemps à propos de la souffrance des enfants soit sur le point de prendre fin?

Le second scénario, celui du discours ouvert, s'inspire lui aussi des idées de Foucault. Selon cette perspective, l'enquête médicale serait fondée sur le besoin incessant de contrôler, modeler et analyser les enfants. En ce sens, la pédopsychiatrie s'offrirait aux parents comme une autre voie qui leur permet d'amener leur enfant chez un autre adulte chargé de découvrir ses secrets. De même, le système d'éducation est d'abord organisé en vue de contrôler les enfants, et seulement ensuite, de les instruire. A l'intérieur de celui-ci, les sujets déviants ne tardent pas à être traités en inférieurs, ou encore, ils seront séparés et regroupés dans des classes pour y être soumis à toutes sortes d'investigations.

En ce sens, la médecine et la sociologie, partageant une même vision politique, continuent de se renforcer mutuellement, le pouvoir et le savoir étant ici inséparables. Dans ce scénario, le pouvoir sur l'enfant est la variable critique, et Itard ne représente rien d'autre que le regard officiel de la société par l'intermédiaire de la science médicale.

Vu ainsi, le discours ouvert peut se poursuivre indéfiniment, puisque les enfants, élevés en fonction d'elles, sont le miroir des valeurs de la société, leur éducation témoignant de fait des fantaisies changeantes de leurs parents (situées à divers points du continuum punitif - permissif) largement influencées par les courants philosophique et économique de l'époque. C'est donc l'idéologie régnante qui contrôle les attitudes adoptées à l'égard des enfants, et dans une société technologique comme la nôtre, on peut s'attendre à ce qu'ils soient éduqués comme de bons citoyens corporatistes, avec l'idée que plus jeunes ils le deviendront, mieux ce sera.

Finalement, si l'on emprunte la veine mythopoïétique, l'histoire de l'Enfant sauvage et d'Itard devient une allégorie sur la vulnérabilité de l'enfance et sur le bon père, parent dévoué et adulte qui sait tout. Itard incarne ici une puissance réunissant tout à la fois les pouvoirs du père, du savant, du chercheur et du médecin. Plus encore, son engagement s'apparente à celui du religieux, et en tant que bon citoyen, il est au service des idées et des valeurs de la révolution. Victor, quant à lui, fait figure de caméléon; mi-sauvage, mi-civilisé, il est l'homme du passé et celui de l'avenir. Vue ainsi, l'histoire de l'Enfant sauvage et de son dévoué tuteur est universelle et transcende les époques.

Nous voudrions en terminant citer ce passage de DiNicola: *«L'enfance est une construction historique, non un fait biologique; le développement est une métaphore psychologique qui prend racine dans l'analogie réductrice de l'enfant sauvage.»* Citant DeMause, il poursuit: *«L'histoire de l'enfance est un cauchemar dont nous ne nous sommes réveillés que depuis peu de temps.»* (1991, p. 5). A ce propos, nous croyons qu'Itard et Victor nous ont montré la voie qui s'ouvre devant nous.❖

The author re-examines in a contemporary light the mythic story of Victor, the Wild Boy of Aveyron, and his relationship to his educator, Itard. The attempt to re-educate Victor sparked a debate between philosophers, doctors and scientists in 19th century France, which engendered fascination and controversy that has continued to this day.

In the first part of the essay, an outline is given of the medical and scientific milieu at the time of the French Revolution, with an emphasis on the interplay between politics and medicine. Pinel was given a mandate to examine the boy and pronounced a diagnosis of idiocy. Itard opposed Pinel's diagnosis and undertook the «moral treatment» of the Wild Boy.

The life and works of Itard are briefly reviewed with his important contribution to our understanding of mutism caused by intellectual lesions or what is now called pervasive developmental disorders. Finally the author interprets the story of the Wild Boy through the prism of our present views of children, after the rediscovery of maternal bonding and child abuse.

Références

Bourneville DM. **Rapports et mémoires sur le sauvage de l'Aveyron: l'idiotie et la surdi-mutité par Itard, avec une appréciation de ces rapports par Delasiauve**. Paris: Félix Alcan, 1894.

Bettelheim B. **The empty fortress: infantile autism and the birth of the Self**. New York: Free Press, 1967.

Bowlby J. **Attachement et perte**. 3 vols. Paris: PUF, 1978/1984.

Delasiauve L. Le sauvage de l'Aveyron. **J Médecine Mentale** 1865;(5):197-211.

DiNicola VF. **De l'enfant sauvage à l'enfant fou: a prospectus for transcultural child psychiatry**. Conférence prononcée au Symposium "Transcultural issues in child psychiatry" à l'Hôpital Douglas, Montréal, 13 juin 1991.

Esquirol GE. **Maladies mentales: a treatise on insanity**. Hofner Publ., 1965 (publié en 1845).

Foucault M. **Les mots et les choses: une archéologie des sciences humaines**. Paris: Gallimard, 1966.

Foucault M. **Surveiller et punir: naissance de la prison**. Paris: Gallimard, 1975.

Foucault M. **Folie et déraison: histoire de la folie à l'âge classique**. Paris: PUF, 1961.

Foucault M. **Naissance de la clinique: une archéologie du regard médical**. Paris: PUF, 1963.

Frith U. **L'énigme de l'autisme**. Paris: Odile Jacob, 1989.

Goldstein J. **Console and classify: the French psychiatric profession in the 19th Century**. Cambridge: Cambridge University Press, 1987.

Gineste T. **Victor de l'Aveyron: dernier enfant sauvage, premier enfant fou**. Paris: Le Sycomore, 1981.

Harlow H. The nature of love. **Am Psychol** 1958;13:673-685.

Itard JMG. Mémoire sur le mutisme produit par la lésion des fontions intellectuelles. **Mémoires Acad Royale Médecine** 1828;1:1-18.

Itard JMG. Notes. In: Hoffbauer JC. **Médecine légale relative aux aliénés et aux sourd-muets, ou les lois appliquées aux désordres de l'intelligence**. Paris: JB Baillière, 1827:176-230.

Kanner L. Autistic disturbances of affective contact. **Nerv Child**

1943;2:217-250.
Kuhn T. **La structure des révolutions scientifiques**. Paris: Flammarion, 1977.
Lane H. **The wild boy of Aveyron**. Cambridge, Mass: Harvard University Press, 1976.
Littré E. **Dictionnaire de médecine**. Paris: JB Baillière, 1884.
Malson L. **Les enfants sauvages: mythe ou réalité**. Paris: Union générale d'éditions, 1964.
Masson JM. **Le réel escamoté: le renoncement de Freud à la théorie de la séduction**. Paris: Aubier-Montaigne, 1984.
Pinel P. **Traité médico-philosophique sur l'aliénation mentale ou la manie**. Paris: Richard, 1801.
Pinel P. **Nosographie philosophique**. Paris: Maradan, 1798.
Postel J, Gineste T. JMG Itard et l'enfant connu sous le nom de "Sauvage de l'Aveyron". **Psychiatr Enfant** 1980;23:251-307.
Semelaigne R. **Les pionniers de la psychiatrie française avant et après Pinel**. Paris: JB Baillière, 1930/32.
Shattuck R. **The forbidden experiment: the story of the wild boy of Aveyron**. New York: Farrar, Strauss, Giroux, 1980.
Spitz R. Hospitalization: an enquiry into the genesis of psychiatric conditions in early childhood. **Psychoanal Study Child** 1945;1:53-74.
Stocking G. **Race, culture and evolution: essays in the history of anthropology**. New York: Free Press, 1968.

P.R.I.S.M.E. été 1994, vol. 4, nos 2-3

À PROPOS D'ENCOPRÉSIE:
HYPOTHÈSES, INTERPRÉTATIONS, ILLUSIONS

Patricia GAREL
Equipe de Verdun*

Le Dr Patricia GAREL est psychiatre à l'Unité des adolescents et à l'Equipe de crise au Département de psychiatrie de l'Hôpital Sainte-Justine et professeur adjoint de clinique au Département de psychiatrie de l'Université de Montréal.

* L'équipe multidisciplinaire de la clinique externe de Verdun (Hôpital Douglas) est composée de Pierre Asselin, travailleur social, Line Bergeron, psychologue, Hélène Fortier, orthopédagogue, Hélène Normand, travailleuse sociale, Ginette Purenne, orthophoniste et Louis Carl Tremblay, orthopédagogue.

Ce travail résulte d'une réflexion d'équipe à propos de quelques-uns des cas d'encoprésie suivis à notre clinique. Il ne s'agit pas d'une recherche ni d'une étude exhaustive de l'encoprésie mais d'une interrogation sur le processus thérapeutique.

Nous avons tenté de retracer notre démarche et de transmettre, plus que des conclusions, les questions que ce travail a suscitées.

Pouvait-on mettre en évidence un lien entre une variété particulière d'encoprésie et une technique spécifique? En d'autres termes, était-il possible de déterminer le type d'intervention le plus susceptible d'être efficace en regard d'un contexte familial et individuel donné? Quels étaient les arguments qui nous faisaient choisir telle approche plutôt que telle autre?

C'est à la lumière de ces questions que nous avons revu ensemble une dizaine de dossiers. L'encoprésie représentait un symptôme de premier choix, étant donné sa situation privilégiée à l'intersection du somatique et du psychique, du dehors et du dedans. Malgré l'aspect péjoratif qui lui est le plus souvent implicitement assigné, (on parle souvent d'un mode d'expression primaire, archaïque, sans compter le facteur 'répulsif' attaché à cette pathologie), l'encoprésie est un symptôme potentiellement très riche de significations symboliques et relationnelles, en grande partie du fait de sa position charnière au niveau du dévelop-

A partir d'une étude rétrospective sur les cas d'encoprésie évalués à la clinique externe de Verdun (hôpital Douglas), l'équipe multidisciplinaire de cette clinique s'est interrogée sur les indications thérapeutiques proposées dans chaque cas et sur les motifs sous-tendant le type d'interventions engagées au décours de l'évaluation.

A l'aide d'exemples cliniques, les auteurs soulignent les aspects individuels qui, au-delà des techniques thérapeutiques, influencent la prise en charge. Ils concluent sur la singularité de chaque intervention qui se situe à l'intersection unique d'un enfant, d'une famille et d'un thérapeute.

pement de la phase anale et de l'apprentissage de la propreté, période cruciale pour la définition de soi par rapport à autrui.

Dans le développement normal de l'enfant, la selle se situe à la frontière du dedans et du dehors. D'abord 'objet interne' créé par le sujet et faisant partie de lui, elle devient après son passage sphinctérien 'objet de transaction', de négociation avec autrui - la mère en premier lieu -, cadeau qu'on offre ou qu'on refuse, avant d'acquérir progressivement une signification plus réaliste d'excrément.

Freud, dans *L'Homme aux loups* (1954), résume cette évolution en disant: «*Le don de la selle (...) est la première occasion où l'individu se défait d'une partie de son corps afin d'obtenir l'approbation d'une personne qu'il aime*». On peut déjà entrevoir toutes les implications relationnelles inhérentes à cette phase du développement qui se caractérise par l'ambivalence, l'opposition, la dialectique du donner et du retenir, parallèlement à l'acquisition de la maîtrise et du contrôle de son fonctionnement corporel.

L'enfant doit acquérir son autonomie, ce qui passe incontestablement par une phase d'opposition à l'égard de son entourage. L'apprentissage sphinctérien apparaît expérimental pour satisfaire ce propos. Nous pourrions résumer ce bref rappel par cette phrase de Bertrand Cramer (1983): «*Pour arriver à négocier l'analité de façon satisfaisante, l'enfant doit pouvoir garder la selle sans se sentir persécuté, et accepter de l'éliminer sans se sentir volé.*» C'est en grande partie à ce niveau qu'on peut identifier les conflits qui sous-tendent ou entourent l'encoprésie.

Un autre point mérite d'être souligné dans ces généralités: l'encoprésie est un symptôme à la frontière du psychique et du somatique. L'expression de conflits affectifs se fait par le biais d'une modification fonctionnelle d'un organe (rectum, éventuellement sigmoïde), sans qu'on puisse parler de troubles psychosomatiques puisqu'il n'y a pas de lésion de l'organe mais une utilisation «pervertie». Sans envisager la physiologie de la défécation en détail, il est utile de rappeler que le rectum est normalement vide; l'arrivée de la selle provoque un réflexe d'exonération, mettant en jeu l'innervation intrinsèque et extrinsèque de l'organe. Il faut souligner l'importance de la notion de «tensiorécepteurs»: la répétition d'un encombrement rectal émousse progressivement la sensibilité de ces récepteurs à la distension. Le symptôme évolue alors par lui-même, justifiant l'intervention de «rééducation sphinctérienne».

Présentation de l'approche thérapeutique

L'aspect pluridisciplinaire de l'équipe composée d'une psychologue, de deux orthopédagogues, d'une orthophoniste, de deux travailleurs sociaux, ayant tous des formations et des champs de compétence spécifiques, a donné à ces échanges une richesse particulièrement appréciée par une psychiatre qui venait de se joindre à cette clinique.

La diversité des hypothèses, des interprétations, des perceptions d'une réalité clinique supposée unique initialement, a rendu l'expérience très intéressante. Celle-ci n'a bien sûr débouché sur aucune classification de nos cas d'encoprésie ni même sur l'ébauche d'un «guide» sur les interventions efficaces, mais elle a permis d'ouvrir sur la non-exclusivité des multiples approches thérapeutiques, sur la complexité du processus thérapeutique et la reconnaissance de l'utilisation de soi comme un des outils fondamentaux de ce processus.

Les intervenants impliqués ont d'abord soumis la situation clinique telle qu'ils l'avaient perçue lors de l'évaluation. Déjà, on peut relever que ce récit est le leur, et d'emblée, marqué du sceau de leurs propres priorités. Cette situation subjective a ensuite fait l'objet des hypothèses des membres non impliqués de l'équipe. Lors des présentations orales de ce travail à l'hôpital Douglas, à l'Institut Albert-Prévost et à l'hôpital Sainte-Justine, nous avions également invité les participants à imaginer leurs propres hypothèses et plans d'interventions avant de «raconter» l'histoire telle qu'elle s'était effectivement déroulée.

Vignettes cliniques

Nous ne détaillerons que trois des cas cliniques de notre série. Nous présenterons successivement le contexte d'évaluation, le projet thérapeutique et l'évolution tels que vécus par les intervenants, et enfin, les hypothèses et les propositions des membres de l'équipe non impliqués dans le cas.

Marie-Eve est une petite fille unique de $5^1/_2$ ans qui règne en maître et tyran sur ses deux parents qui sont en opposition presque parfaite et dont l'équilibre de couple paraît reposer sur l'enfant.

Yann, âgé de presque 9 ans, est évalué pour des difficultés scolaires et de comportement, alors qu'il est atteint d'une surdité partielle bilatérale. L'encoprésie n'est qu'un symptôme dilué parmi les autres difficultés; il ne sera abordé que du bout des lèvres par les parents et ne restera d'ailleurs qu'un aspect satellite de la prise en charge, sa disparition représentant plus un indice baromètre de l'évolution qu'un objectif en soi.

Enfin, Isabelle, âgée de 8 ans, est amenée à contrecoeur par des parents d'une tolérance extrême, contraints à la consultation par une école exténuée et surtout excédée par le symptôme et la passivité parentale.

LE CAS DE MARIE-EVE[1]

Les parents consultent en août 1986 pour leur fille unique, Marie-Eve, alors âgée de 5½ ans, en raison d'une encoprésie associée à une énurésie nocturne. L'enfant doit rentrer en maternelle en septembre et les parents se montrent inquiets de la persistance du symptôme. Marie-Eve salit en effet ses culottes de deux à trois fois par jour dans n'importe quelle circonstance, qu'elle joue dehors avec ses amis, qu'elle soit à la maison avec l'un ou l'autre de ses deux parents ou qu'elle soit sur le bord d'une piscine.

Le reste des troubles de Marie-Eve est un sujet de désaccord: la mère la décrit comme opposante, capricieuse, contrôlante, et se dit débordée par le comportement de sa fille dont elle ne fait pas façon; le père au contraire, ne voit qu'un seul problème, celui de l'encoprésie, qualifiant Marie-Eve d'enfant indépendante et volontaire.

Sur le plan du développement de l'enfant, on ne note rien de particulier en dehors d'un apprentissage sphinctérien difficile et conflictuel autour de l'âge de 2½ ans. Madame décrit cependant un bébé souvent *«fâché»*, qui pleurait beaucoup, ce que le père reprend pour préciser qu'elle avait simplement *«du caractère»*. Ses relations actuelles avec les autres enfants sont décrites comme relativement bonnes bien que souvent agressives *«du fait de l'environnement»,* nous est-il précisé... Marie-Eve joue dans *«la ruelle»* avec des amis du quartier pratiquement toute la journée.

Marie-Eve est une petite fille d'allure masculine dont le visage sérieux reste fermé et un peu boudeur pendant l'entrevue familiale. Elle demeure confortablement sur les genoux de son père et ne répond que très brièvement aux questions. Elle accepte l'entrevue individuelle sans difficulté mais s'y montre tout aussi réservée et plutôt impatiente. Elle présente un discret retard du langage; ses phrases sont brèves et courtes; son comportement est brusque et opposant. Le monde extérieur semble encore peu investi.

Au niveau familial, les parents se connaissent depuis une dizaine d'années; leur différence d'âge est de presque 20 ans. Monsieur est un homme de 45 ans d'allure carrée; il est gardien de sécurité trois jours par semaine de 15h à 1h du matin. Madame n'a que 28 ans, elle est mince, soignée, plus inquiète et «pointue» dans sa présentation. Elle ne travaille qu'une journée par semaine dans un bureau d'informatique, journée pendant laquelle Marie-Eve reste avec son père: il est alors *«à sa disposition»*, le père et la fille errant sans contrainte au gré de leurs fantaisies.

La mère exprime d'abord son dégoût de l'encoprésie; elle a *«tout essayé»* sans succès (récompenses, punitions, lavements...). Plus tard, au cours de l'entrevue sans l'enfant, elle manifeste avec émotion son sentiment de ne pas être aimée par sa fille, sa déception de la vie actuelle par rapport à ce qu'elle avait imaginé, son manque de confiance en elle quant à ses réactions. Elle a peu de choses en commun avec *«cette petite sauvageonne têtue»* qu'elle observe avec un certain étonnement et un peu de crainte.

Le père, au contraire, s'identifie tout à fait à sa fille. Il relie ses troubles aux difficultés de la vie en société, à l'inadéquation de la vie en ville, au *«monde»* qui va mal... Comment une enfant peut-elle évoluer dans une société aussi répressive? Dans ce sens, l'entrée prochaine de Marie-Eve à l'école n'est pas sans l'inquiéter.

Au terme de cette première rencontre avec les parents se dégage un sentiment de fragilité et de dépression chez la mère, de révolte plus ou moins contenue chez le père qui se montre assez projectif et méfiant. Les difficultés de couple se dessinent au fil des désaccords concernant Marie-Eve, au niveau de la vie quotidienne (les parents dorment par exemple dans des lits superposés). Les relations père-fille apparaissent très *«intimes»*, reléguant la relation mère-fille à une tension conflictuelle plus ou moins permanente.

Notre hypothèse abordait le symptôme comme illustrant un processus de régression anale face à un oedipe inenvisageable parce que beaucoup trop dangereux. Il permettait une certaine mise à distance du père ainsi que l'expression d'une intense colère à l'égard de la mère devant son effacement, laissant presque le champ libre à un inceste qui n'appartenait plus totalement au domaine fantasmatique.

Le plan thérapeutique initial proposait des rencontres familiales dans le but de *«rééquilibrer»* le triangle père-mère-enfant, ainsi qu'une approche comportementale de rééducation sphinctérienne. Parallèlement, une thérapie individuelle devait aider l'enfant à se dégager des conflits parentaux. Le désarroi de Madame nous avait fait évoquer la possibilité d'un soutien maternel ultérieur dont il ne pouvait être question d'emblée, l'encoprésie étant apparemment le *«seul problème»*. En fait, la suite de la prise en charge fut rapidement centrée autour de cette thérapie maternelle.

Évolution

Les premières rencontres familiales sont marquées par la place de Madame, son insécurité par rapport à sa fille, sa haine vis-à-vis de sa propre mère et l'inquiétude que Marie-Eve ne dépasse pas ce stade de rivalité.

Les relations oedipiennes sont abordées par le biais des contes de fées, ce qui fait exprimer à Marie-Eve sa tristesse de ne pas pouvoir choisir son père comme époux, et permet aux parents de réaliser la réalité de certaines difficultés. Il est intéressant de mentionner le refus catégorique du père que le conte de Peau d'Ane soit lu à la maison...

On observe une amélioration rapide et spectaculaire pour les parents de l'encoprésie (quelques *«accidents»*, ne survenant plus qu'aux 2 ou 3 semaines), ainsi qu'un rapprochement mère-fille significatif. La disparition de l'encoprésie ramène au premier plan des difficultés jusque-là secondaires: troubles du comportement, crises de colère, opposition. Monsieur refuse à ce stade de poursuivre les rencontres, *«tanné de s'entendre répéter toujours les mêmes choses»*.

Madame aborde alors seule pour la première fois ses propres difficultés sexuelles, ses angoisses qui lui interdisent de rassurer sa fille, et demande des rencontres individuelles pour elle-même. Cette thérapie durera deux ans, malgré l'interruption quelques mois plus tard des rencontres avec l'enfant (sur l'insistance du père inquiet des conséquences possibles de ces entrevues sur sa fille).

Au cours de sa démarche personnelle, Madame se dégage progressivement de l'emprise de sa propre famille avec laquelle elle établissait encore des relations complexes et entachées de conflits infantiles. Son image d'elle-même s'améliore ainsi que son sentiment d'existence et de compétence. Elle est capable d'envisager la possibilité de travailler et obtient un emploi valorisant de secrétaire médicale, étape fondamentale de son évolution. Ses relations avec les autres ainsi qu'avec son propre corps se modifient. Elle acquiert la certitude de pouvoir enfin être une «bonne mère» pour sa fille.

On peut mentionner ici, parallèlement à l'amélioration de ses relations avec autrui, l'émergence de profonds sentiments d'inquiétude interne, *«d'un monstre qui soufflerait à l'intérieur d'elle»*. Elle révèle aussi des difficultés anorexiques de longue date.

Cramer (1983) rapporte la fréquence de ces préoccupations intracorporelles comme un trait spécifique dans un certain nombre de cas d'encoprésie. Il interprète la fonction du symptôme comme une focalisation sur la selle émise par l'enfant (objet concret, matériel) de ces angoisses internes maternelles permettant leur atténuation par un phénomène de déplacement de la source d'inquiétude (p. 391).

Cette phase est suivie d'une période très dépressive, puis d'une remise en question douloureuse de son couple qui aboutit à une vision plus réaliste de son mari et une acceptation plus sereine de sa situation. L'encoprésie de Marie-Eve a totalement disparu, les relation mère-fille se sont grandement améliorées et l'enfant fréquente l'école sans difficulté.

Commentaires Nous avons très rapidement eu l'impression que la compréhension et le «levier» se situaient au niveau de Madame. Les quelques rencontres avec le père ont probablement permis qu'il n'entrave pas le processus thérapeutique par ses tendances paranoïdes. Même si la thérapie de Marie-Eve a dévoilé des préoccupations développementales importantes que nous ne détaillerons pas ici, il nous a semblé que le changement passait par l'évolution de la mère et les capacités assez exceptionnelles d'introspection et d'analyse chez celle-ci.

Une approche familiale plus rigoureuse aurait pu focaliser sur une modification dynamique relationnelle et une répartition différente des rôles de chacun. Une thérapie mère-fille - après accord du père - centrée sur les difficultés d'identification féminine et le sentiment d'incompétence maternelle pouvait également être proposée.

Une hypothèse intéressante évoquant la «transgression» généralisée de cette famille a été soulevée: transgression du père par refus des règles sociales, transgression de la mère par refus du *«devoir conjugal»,* transgression de l'enfant par refus des règles élémentaires de propreté... Cet axe aurait pu tout aussi bien guider la démarche thérapeutique.

LE CAS DE YANN[2] Les parents consultent avec Yann, âgé de 8 ans 11 mois, à la suggestion de leur médecin de famille. Il éprouve à ce moment des difficultés assez marquées au plan des apprentissages scolaires, lesquelles l'amènent à redoubler sa deuxième année. Or, des tests administrés récemment à l'école révèlent un potentiel situé au niveau de la vivacité intellectuelle. Yann présente une surdité partielle bilatérale, dépistée lors de son entrée à la maternelle et appareillée à ce moment. Ces deux facteurs, échec scolaire et surdité, induisent visiblement beaucoup de tristesse chez les parents. En classe, Yann est décrit comme un enfant *«différent»*, isolé par rapport à ses pairs et offrant une collaboration assez médiocre quant aux travaux à effectuer.

Les parents mentionnent aussi que Yann est difficile à la maison. Il se montre souvent très colérique et se dispute presque sans arrêt avec son frère aîné. Ces querelles entre les garçons paraissent d'ailleurs revêtir une importance particulière pour les parents, qui trahissent à cet égard des craintes quelque peu disproportionnées, de même qu'un sentiment assez accablant d'impuissance.

Ce n'est qu'une fois Yann sorti du bureau que la mère abordera enfin le problème du contrôle sphinctérien, à la stupéfaction d'ailleurs du père, qui croyait le tout déjà résolu. Il semble que Yann se mouille encore la nuit et qu'il se souille encore à l'occasion durant la journée. L'anamnèse recueillie contient des éléments contradictoires à cet égard, qui ne nous permettent pas de déterminer de façon nette si cette encoprésie a un caractère primaire ou secondaire, mais elle préoccupe en tout cas davantage la famille depuis l'entrée à l'école.

Lors de cet entretien, nous sommes surtout frappées par les sentiments de souffrance, de tristesse et d'impuissance des parents. Nous sommes en outre intriguées par la suppression, de la part de la mère, de l'information concernant l'encoprésie de Yann. Ce dernier, quant à lui, offre au moment de l'évaluation individuelle l'image d'un enfant immature, possédant un contrôle encore relatif sur son expression affective et pulsionnelle et ayant développé de façon insuffisante sa tolérance à la frustration, son objectivité et son jugement personnel. Il a parallèlement une idée plutôt négative de sa valeur et de sa compétence personnelle et son échec scolaire entraîne chez lui des réactions mêlées de rage et de tristesse.

Notre hypothèse de travail s'est élaborée autour de l'exercice du contrôle et l'expression de l'agressivité dans cette famille. Toute manifestation hostile nous semblait prendre pour les parents une allure très «dangereuse». La volonté de la mère de prendre en charge l'encoprésie de son fils, presque à l'insu de ce dernier et, en tout cas, à l'insu du père, nous semblait par ailleurs caractériser la répartition très inégale du contrôle entre les diverses parties impliquées.

Des rencontres familiales et de couple alternées ont donc été proposées, de même que des entrevues individuelles de thérapie par le jeu pour Yann.

Evolution

Lors des entrevues familiales, le premier thème abordé est celui des querelles entre les garçons. Leur mère apprend alors, à son grand étonnement, que ses fils prennent plaisir à ces disputes et s'attendent à ce qu'elle intervienne. Les garçons sont tout à fait en contrôle de ces situations, ce qui vient désamorcer les craintes des parents face à un débordement agressif possible. De la même façon, les thèmes d'ordre et de propreté sont abordés par le biais des tâches domestiques que chacun doit accomplir, ce qui met en relief les attentes très élevées des parents à cet égard et les amène à réajuster leurs exigences.

C'est dans le contexte des entrevues conjugales que le thème de l'encoprésie, jusqu'alors mis de côté, est évoqué par les parents. Des explications leur sont alors fournies sur les significations possibles du symptôme chez Yann. A cette occasion, la non-circulation de l'information est abordée. La mère manifeste alors son désarroi et ses inquiétudes quant aux réactions émotives qu'elle prévoit chez son mari si elle le tient au courant: peur qu'il ne perde contrôle ou se mette à pleurer, ce qui se produit de plus en plus depuis quelques mois. Les deux parents disent avoir envisagé la séparation face aux multiples difficultés rencontrées depuis quelque temps dans leur gérance des responsabilités familiales et leur incapacité à y faire face adéquatement.

Suite à ces rencontres, on assiste très rapidement à une répartition plus équitable et satisfaisante pour tous des rôles et responsabilités. Ce processus de réorganisation est d'ailleurs grandement facilité par le retour de la mère sur le marché du travail et une modification des heures de travail du père, ce qui lui permet de prendre une place plus active auprès de ses fils.

Les entrevues individuelles avec Yann permettent l'identification et l'expression des sentiments de colère et de tristesse reliés à l'échec scolaire ainsi qu'un travail au niveau de l'image de soi et des capacités personnelles de contrôle et de maîtrise. Yann répond très bien à l'appui reçu et évolue rapidement vers une prise de position nettement plus oedipienne, où il peut désormais exprimer sur un mode nouveau la rivalité avec le père et le frère aîné.

Lorsque nous envisageons avec Yann l'arrêt de la thérapie, il s'ensuit une brève période de régression, au cours de laquelle les symptômes de dysfonctionnement scolaire réapparaissent. Un appel téléphonique de réassurance à l'école, où l'aspect *«attendu»* de cette régression est souligné aux adultes en charge, suffit pour calmer les inquiétudes de tous et l'année scolaire se termine en beauté.

Quant à l'encoprésie, notre peu de focalisation sur ce symptôme en particulier nous laisse dans l'impossibilité d'indiquer le moment exact de sa disparition mais il avait régressé totalement lors du dernier entretien familial.

Commentaires

Dans ce cas, les intervenants ont délibérément laissé l'encoprésie à la place apparemment périphérique que lui avaient donnée les parents pour aborder une série de difficultés tant familiales que de couple. L'enfant était parallèlement soutenu dans sa démarche d'autonomie et de maturation. L'encoprésie a néanmoins été utilisée subtilement pour mettre en relief les difficultés de communication dans une famille où les choses n'étaient pas dites.

On aurait pu évoquer ce symptôme comme l'expression à la fois concrète et symbolique d'une agressivité latente qui ne pouvait être exprimée parce que trop menaçante. Ce thème a été abordé par d'autres voies.

Le handicap représenté par la surdité aurait pu être un élément important, éclairant de façon singulière l'inquiétude et l'impuissance parentale ainsi que la rivalité fraternelle. Il faut noter ici que les intervenantes n'ont pas spontanément mentionné que le frère aîné était le fils de Madame, demi-frère de Yann, un autre aspect pouvant compliquer la dynamique familiale.

Sur un plan plus individuel, on peut imaginer l'encoprésie soustendue par un désir de rester petit, de ne pas affronter les enjeux du monde extérieur, de rester proche d'une mère qui semble prendre totalement en charge la résolution du symptôme. La dimension dépressive pouvait aussi être soulignée, renvoyant d'ailleurs à la dépressivité du père. Quoi qu'il en soit, l'évolution positive est marquée par la reprise du processus de maturation et un nouveau confort familial.

LE CAS D'ISABELLE[3]

En mai, quelques semaines avant la fin de l'année scolaire, la directrice d'une école primaire insiste pour que nous intervenions auprès d'une fillette encoprétique de 9 ans; comme il n'y a pas de dossier ouvert à notre clinique pour cette enfant et devant le désarroi du milieu scolaire, deux membres de notre équipe proposent une rencontre à l'école.

La directrice de l'école, une psychologue, une travailleuse sociale, l'infirmière et le professeur nous reçoivent et nous expliquent avec force détails que la situation est devenue intolérable: Isabelle souille ses vêtements pratiquement tous les jours, les parents sont décrits comme peu responsables et malpropres. Les intervenants scolaires auraient tenté un arrangement avec la fillette, au demeurant gentille et agréable, en gardant à l'école des vêtements de rechange pour éviter les absences. Par ailleurs, ils critiquent sévèrement les médecins de deux hôpitaux qui n'ont pas suffisamment collaboré avec eux et n'ont pas réussi à régler ce problème, malgré lavements, médicaments, etc..

Comme beaucoup d'agressivité est exprimée à l'égard des parents, nous suggérons qu'on cesse l'accommodement qui consiste à conserver des vêtements en classe; il nous apparaît que l'école, pour minimiser certaines conséquences du problème mais par ailleurs impuissante à le régler, a fini par s'opposer aux parents tout en contribuant à maintenir la difficulté. Cette suggestion, bien acceptée par les intervenants, visait un double objectif: répondre à la demande de l'école et diriger la pression vers la famille.

Cette suggestion était discutable mais nous paraissait alors la seule qui pouvait à la fois nous donner une certaine crédibilité auprès de l'école, car c'était bien de là que provenait la demande originale, tout en nous réservant une latitude opérationnelle dans l'éventualité d'une consultation demandée par la famille. Les intervenants de l'école ont été soulagés de n'avoir plus à prendre sur eux de régler ce problème qui d'ailleurs ne relevait pas de leur mandat.

Quelques semaines plus tard, mais avant que l'année scolaire ne soit terminée, la mère d'Isabelle téléphone pour obtenir un rendez-vous. Une première rencontre est prévue en juillet mais annulée par la famille. L'entretien d'évaluation aura lieu en septembre, quelques jours après le début de l'école.

Alors que nous avions invité Isabelle et ses parents, ils se présentent avec le frère aîné; nous demandons à ce dernier d'attendre à l'extérieur du bureau, prétextant que nous allions aborder des sujets très intimes concernant sa soeur cadette. Suit l'évaluation proprement dite où les parents décrivent le symptôme de leur fille et disent se sentir blâmés par les intervenants de l'école qui paraissent leur imputer la responsabilité des problèmes de leur fille. Quant aux traitements médicaux qu'a eu à subir sa fille depuis qu'elle est toute petite, le père exprime être gêné et souffrant d'avoir vu Isabelle obligée de s'exhiber tant de fois comme un spécimen rare. La mère, pour sa part, refuse dorénavant qu'on donne des lavements à sa fille mais accepte d'administrer des laxatifs légers dits «naturels».

D'autres informations sur le vécu familial récent pourraient être mentionnées ici mais nous avons décidé de ne pas les utiliser: l'encoprésie existant apparemment depuis sa naissance, il nous semblait inutile d'établir des liens de causalité qui auraient pu nous entraîner sur de fausses pistes. Nous avons eu la même attitude par rapport aux événements du passé: nous aurions pu discuter des attitudes intrusives de cette mère, mais ces attitudes existaient-elles avant les problèmes d'encoprésie ou étaient-elles apparues par la suite? Nous avons simplement supposé que le symptôme avait nécessité de nouvelles interactions tout en amplifiant probablement certains aspects de la personnalité de chacun des membres de cette famille.

En conclusion, nous demandions de cesser tout traitement médicamenteux. Les médecins traitants avaient de toute façon recommandé, en désespoir de cause, une orientation en pédopsychiatrie. Nous donnions des consignes visant principalement à régulariser le contrôle sphinctérien et nous proposions des rencontres aux parents pour les soutenir dans ce travail; la fillette allait être vue à très court terme pour être également soutenue, autrement qu'en entretien familial, dans sa reprise de contrôle d'elle-même.

Evolution

A chacun des rendez-vous, les parents amèneront avec eux leurs deux enfants qui attendront plus ou moins bruyamment dans la salle d'attente que l'entretien se termine.

Ces entretiens seront centrés sur le «*programme d'apprentissage*» dont la mère doit surveiller l'application et sur le thème de l'intimité: nous voulions par là éviter de nous opposer à cette tendance (tout en la réorientant) qu'avait développée la mère à surveiller le corps de sa fille, en lui demandant par exemple de s'assurer que sa fille se rende à la toilette à heures fixes, sans plus. Quant au thème de l'intimité apparu dès la première séance grâce à la présence pour nous incongrue du fils aîné, il est devenu un moyen particulièrement propice pour discuter des façons dont les frontières interpersonnelles étaient plus ou moins maintenues dans la famille (chambre des parents contiguë à celle de la fillette, chambre de toilette sans verrou, inquiétudes anxieuses des uns par rapport aux autres). Ces entretiens se poursuivront jusqu'en septembre de l'année suivante au rythme d'une rencontre par deux semaines.

L'hypothèse retenue comme fil conducteur a été l'intimité et la distance par rapport à autrui. L'organisation structurale concrète semble avoir été ici prédominante sur le contenu des rencontres. Un autre aspect important de la prise en charge a été l'attention porté au «référant»: la demande initiale était faite par l'école et il apparaissait fondamental de répondre d'abord à ce niveau.

Commentaires

Il est intéressant de mentionner que l'intervenant impliqué était avant tout systémicien. Alors que les thérapeutes familiaux espèrent le plus souvent rencontrer *«la famille au complet»*, ce dernier a commencé par limiter l'espace thérapeutique en excluant le frère aîné... premier pas vers des frontières différentes. De nombreuses pistes auraient pu être empruntées, en particulier la relation mère-fille complexe, associant difficulté de grandir, hostilité, désir de distance mais aussi rapprochement par le biais du symptôme. Ceci se traduisait finalement par l'incapacité d'Isabelle à s'identifier à une mère qui, comme nous l'avons appris plus tard, avait elle-même été adoptée.

Ces histoires illustrent le fait qu'une prise en charge est profondément influencée par la formation, les compétences, la personnalité des intervenants impliqués. En caricaturant et en simplifiant à l'extrême, nous pourrions suggérer *«qu'on propose ce qu'on sait faire, on parle de ce qu'on connaît et de ce qui nous touche»*. L'importance de ce qui vibre en nous dans une situation donnée a été développée par Elkaïm (1989) sous le terme d'«autoréférence», concept plus large que celui du 'contre-transfert', dans la mesure où il devient en soi un outil clef du processus thérapeutique.

Cette perception d'une situation clinique selon notre expérience oriente ainsi notre intervention vers des chemins personnels. Ces chemins ne sont pas meilleurs que ceux qu'un autre aurait pris, mais ce sont néanmoins les bons parce qu'ils sont ceux choisis par le thérapeute, le patient et sa famille.

La diversité des pistes possibles et des constructions thérapeutiques n'excluent pas la communauté des thèmes caractérisant la période d'apprentissage de la propreté que nous avons brièvement abordée et que nous retrouvons dans ces différents cas cliniques: différenciation et distance par rapport à autrui, valeur relationnelle, pulsions agressives, pulsions d'emprise sur soi et sur l'autre, fantasmatique de la différenciation sexuelle et du désir d'enfant.

Mais ces thèmes communs se trouvent colorés par les jeux de lumière créés entre l'histoire du patient et celle du thérapeute. Ils s'amplifient ou au contraire s'estompent pour construire un *'espace thérapeutique'* virtuel unique aux confins des constructions du monde d'une famille et d'un intervenant où chacun pourra évoluer selon l'axe des thèmes signifiants.

Cette place donnée aux 'résonances' et à la vision subjective de chacun n'abolit pas la nécessité d'une rigueur 'technique', et quelle qu'en soit la nature, d'une formation de base indispensable à l''armature' de cet espace thérapeutique. Il ne s'agit pas d'improviser sans filet, mais de laisser une place suffisante aux nuances et à la singularité individuelle tout en assurant la sécurité et la solidité du mouvement thérapeutique.

Dans ce contexte, l'hypothèse construite pour tenter de synthétiser la compréhension d'une situation clinique, les interprétations faites dans un but thérapeutique, n'ont pas valeur de vérités absolues. Elles ne sont que des éléments qui donnent forme à la thérapie. Ces hypothèses restent indispensables peut-être par la conviction et la confiance que nous y mettons plus que par leur validité objective.

Nous nous permettrons pour terminer de faire une analogie 'artistique'. Gombrich (1972), dans sa célèbre *Histoire de l'art* évoque à propos du malaise de l'art contemporain l'importance de la 'tâche' donnée à l'artiste, noyau vital de l'oeuvre d'art: «*Pour produire une perle parfaite, l'huître a besoin d'un petit éclat de matière, d'un grain de sable ou de tout autre corps étranger. Sans ce dur noyau, l'évolution de la perle serait laissée au hasard. Pour que le sentiment de la forme et de la couleur, qui est celui de l'artiste, se cristallise en une oeuvre parfaite, il lui faut aussi ce dur noyau: une tâche précise où s'appliquer.*» (p. 472)

L'hypothèse serait ce grain de sable, ce support nécessaire... même si nous ne sommes que des artisans.❖

This article is based on a retrospective study of a few cases of encopretic children that were evaluated at the psychiatric clinic of Verdun (Douglas Hospital) by a multidisciplinary team. After reviewing the therapeutic indications, the authors elaborate on the motives underlying the interventions that took place in the course of evaluation.

While presenting three clinical vignettes, the authors discuss the role of individual aspects which influence, beyond therapeutic techniques, the choice of treatment. They conclude on the singularity of each intervention that stands at the unique intersection between a child, a family and a therapist.

Notes

1 Ce cas est présenté par le Dr Patricia Garel et Hélène Fortier, orthopédagogue.

2 Ce cas est présenté par Line Bergeron, psychologue et Hélène Normand, travailleuse sociale.

3 Ce cas est présenté par Pierre Asselin, travailleur social et le Dr Patricia Garel.

Références

Cramer B, et al. Trente-six encoprétiques en thérapie. **Psychiatr Enfant** 1983;26:309-409.

Elkaïm M. **Si tu m'aimes, ne m'aime pas: approche systémique et psychothérapie**. Paris: Seuil, 1989.

Freud S. Extrait de l'histoire d'une névrose infantile: l'homme aux loups. In: **Cinq psychanalyses**. Paris: PUF, 1954.

Gombrich E. Un art d'expérimentation. In: **Histoire de l'art**. Paris: Flammarion, 1990: 472-473.

P.R.I.S.M.E. été 1994, vol. 4, nos 2-3

STRATÉGIE D'UNE PRISE EN CHARGE AVANT L'ÂGE DE DEUX ANS EN PSYCHIATRIE DE L'ENFANT

François POINSO
Valérie DELZENNE
Marcel RUFO

Dr François POINSO est psychiatre, chef de clinique des Universités à la Faculté de Médecine de Marseille et responsable de l'hôpital de jour du service de pédo-psychiatrie au C.H.U. de Sainte-Marguerite à Marseille, comprenant les groupes dits «d'action précoce» (un an à six ans) et les groupes parents-enfants (enfants jusqu'à trois ans). Il est également responsable de l'unité d'hospitalisation conjointe parents-enfants.

Quelles possibilités de prises en charge psychologiques ou psychiatriques avons-nous pour les enfants de moins de deux ans? Dans un travail publié récemment (Battista, Poinso et Rufo, 1993), nous avions nous-mêmes montré, à partir de l'analyse de nos premières consultations pour des enfants de moins de cinq ans, qu'il existe deux pics de consultations, à trois ans et à cinq ans, mais que les consultations pour des enfants de moins de deux ans restent rares.

L'intérêt de rencontrer des enfants aussi jeunes ne nous semble pas être le dépistage et le traitement précoce des pathologies les plus graves. En effet dans notre pratique actuelle, il est bien rare qu'un trouble grave de la personnalité puisse être diagnostiqué et traité avant l'âge de deux ans et demi ou trois ans, et la prise en charge précoce des enfants dysharmoniques ou psychotiques correspond plutôt à la période durant laquelle l'enfant est à l'école maternelle (trois à six ans). L'école représente à la fois une possibilité de dépistage (et pour les parents, une première confrontation, parfois cruelle, aux difficultés de leur enfant), et d'autre part, une possibilité de socialisation en milieu scolaire en complément de l'hospitalisation de jour.

En revanche, notre ambition porte davantage sur l'accompagnement de la relation précoce parents-enfant dans des situations dites à risques. Il paraît hasardeux de décrire ces modalités d'intervention comme une action préventive en ce qui concerne les psychoses de l'enfance, car il n'est pas certain que ces enfants auraient présenté sans

Les prises en charge psychologiques ou psychiatriques pour des enfants depuis la naissance jusqu'à l'âge de deux ans restent rares, bien que de nombreux travaux actuels s'intéressent aux interactions précoces mère-enfant. Mais pour pouvoir passer de la théorie à la pratique, il est nécessaire de réfléchir à une véritable stratégie de prise en charge, pour mettre en place un réseau d'amont et des possibilités thérapeutiques variées. En particulier les auteurs décrivent leur unité parents-enfants et leurs groupes mères-enfants, qui sont des alternatives nécessaires aux consultations thérapeutiques mère-enfant. En effet ces dernières, isolément, trouvent rapidement leurs limites dès lors qu'il s'agit de prendre en charge des familles à problèmes multiples.

Dr Valérie DELZENNE, ancienne Interne des Hôpitaux, D.E.S. de psychiatrie, est responsable de l'hôpital de jour d'Aix-en-Provence et du C.M.P. de Vitrolles. Elle réalise actuellement une étude épidémiologique et clinique sur la dépression du post-partum et ses conséquences sur la relation parents-enfant.

Dr Marcel RUFO est professeur de psychiatrie de l'enfant et de l'adolescent, chef de service et responsable du secteur de pédopsychiatrie comprenant l'hôpital de la Timone au C.H.U de Marseille.

soin psychologique des troubles graves dans leur développement.

Cependant notre expérience montre que nous pouvons soulager parents et enfants d'une part non négligeable de leur angoisse, rendre plus harmonieuses les interactions parents-enfants, et permettre aux parents de réélaborer certaines positions subjectives par rapport à leurs propres parents et à leur histoire infantile.

Ces prises en charge précoces (Cramer et Bachmann, 1989; Peille et Golse, 1990; Lebovici, 1983) ne sont possibles qu'à deux conditions. D'une part, il est nécessaire de mettre en place en amont un réseau relationnel plus ou moins formel qui permette l'expression des difficultés, leur prise en compte et l'adresse vers nos structures spécialisées; d'autre part, il faut pouvoir disposer d'un éventail thérapeutique à la fois assez souple et assez large pour répondre à des difficultés variées qui ne correspondent pas toujours aux critères nosographiques habituels. Les intrications médico-sociales où s'ajoutent des pathologies psychiatriques parentales sont plus fréquentes que dans une pratique pédopsychiatrique plus classique.

C'est pourquoi nous décrirons d'abord succinctement notre réseau d'amont avant d'évoquer les structures de soin plus spécifiques pour cette tranche d'âge. Outre les consultations thérapeutiques mère-enfant et l'hospitalisation de jour à temps partiel, que nous ne détaillerons pas, nous avons mis en place une unité parents-enfants et des groupes mères-bébés.

LE RÉSEAU D'AMONT

Ce réseau comporte bien entendu de nombreux pédiatres et médecins généralistes qui peuvent connaître nos possibilités d'intervention. Mais nous avons voulu aussi établir des liens plus formels avec les deux hôpitaux pédiatriques de Marseille par deux demi-journées de présence chaque semaine dans chaque hôpital. Il s'agit d'un travail difficile et de longue haleine comportant, comme de nombreux pédopsychiatres en font l'expérience, des limites certaines, le psychiatre prenant une place complexe dans les équipes soignantes et étant la cible de projections multiples.

Cette présence est inductrice de crises institutionnelles en pédiatrie, car quelle que soit la prudence du psychiatre consultant, toute intervention remet en question l'ordre médical, dans la mesure où, sauf à n'être qu'un simple examen paraclinique, le pédopsychiatre n'utilise pas la même démarche que le pédiatre. Donner du sens au symptôme lui apparaîtra toujours plus important que voir le symptôme disparaître. Cette démarche active vers les pédiatres permet cependant de rencontrer de très jeunes enfants qui expriment leur souffrance relationnelle par des désordres somatiques. Elle permet aussi de véritables actions de prévention, par exemple, l'accompagnement des enfants anciens prématurés.

Les relations avec les maternités sont également nécessaires à la constitution de ce réseau. Nous avons centré nos interventions sur la maternité de l'Assistance Publique accueillant préférentiellement les grossesses à risques. Ces interventions consistent en des cours de pédopsychiatrie dispensés aux élèves sages-femmes, et en une recherche-action sur la dépression du post-partum, en analysant systématiquement un questionnaire d'auto et d'hétéroévaluation sur l'humeur de la jeune mère et sur la relation mère-enfant.

Enfin, les psychiatres d'adultes voisins deviennent peu à peu nos partenaires privilégiés dans la prise en charge de certaines jeunes mères souffrant d'une pathologie psychiatrique caractérisée. Notre unité parents-enfants peut alors fonctionner en hospitalisation à temps partiel, accueillant ponctuellement le bébé avec sa mère, même si cette dernière est hospitalisée le reste de la semaine en psychiatrie d'adultes.

L'UNITÉ PARENTS-ENFANTS

L'unité parents-enfants dont nous disposons à l'hôpital de Sainte-Marguerite (hôpital général faisant partie du C.H.U. de Marseille) permet de rencontrer de très jeunes enfants, soit dans une démarche préventive en raison d'indicateurs de risque (en particulier une pathologie psychique parentale), soit en raison de symptômes de l'enfant lui-même. Bien entendu, plus les enfants sont jeunes à l'entrée dans notre unité, par exemple s'ils arrivent dès la sortie de la maternité, plus il y a de chances qu'il s'agisse d'une démarche préventive, c'est-à-dire que ce soit les facteurs médico-sociaux parentaux qui se trouvent à l'origine de l'hospitalisation.

Les unités parents-enfants ou mères-enfants sont encore peu nombreuses en France. Une dizaine d'équipes seulement ont une expérience de ce type de prise en charge (cf. Numéro de l'Information psychiatrique, 1994). Mais de nombreux secteurs de psychiatrie de l'enfant se déclarent intéressés par ce mode de soin et élaborent des projets en ce sens.

Dans notre expérience (Dugnat, 1988; Dugnat, Fanjoux et Soulayrol, 1990; Poinso et Soulayrol, 1994), les contraintes matérielles ont un poids important dans l'utilisation de l'unité (deux studios parents-enfants, plus deux chambres). Nous n'avons pas la possibilité, du fait du personnel (puéricultrices) et des locaux, de prendre en charge des pathologies «agitées». D'autre part, l'unité n'est ouverte qu'en semaine, du lundi matin au vendredi après-midi, ce qui nécessite la présence d'un autre lieu pour le week-end (domicile, foyer ou hôpital), contrainte intéressante car elle permet d'éviter en partie le piège de l'hébergement à caractère social, et permet de recentrer le séjour sur le soin.

Les indications sont diverses. Depuis l'ouverture de l'unité parents-enfants (1985), nous avons été souvent sollicités pour donner un avis sur la qualité de la relation mère-enfant, et sur la possibilité de confier l'enfant à ses parents. Il s'agit soit de «familles à problèmes multiples», souvent en relation avec une demande sociale ou judiciaire, soit d'une pathologie psychotique maternelle.

Cependant, il est nécessaire de choisir entre l'observation et le soin, même si ces dimensions peuvent parfois s'enchevêtrer inextricablement. Lorsque nous choisissons clairement d'utiliser l'unité parents-enfants comme un soin (choix qui se fait avec les parents en fonction de l'ensemble des éléments d'environnement), nous évitons alors toute dimension expertale même déguisée. Ce débat psychothérapique et éthique est complexe à gérer dans ces unités, compte tenu du recrutement particulier des patients. En effet, dans la majorité des cas, ces derniers ne peuvent pas exprimer directement une demande. Ils sont au contraire confrontés à des intervenants médicaux ou sociaux qui gèrent tant bien que mal leur angoisse devant ce qu'ils perçoivent, à tort ou à raison, comme une situation dangereuse pour l'enfant; et ce sont ces intervenants qui amènent ces mères ou ces parents à la consultation initiale. Dans ces cas-là s'est posée d'emblée la question d'un signalement à l'autorité sanitaire ou judiciaire, parfois même le placement en urgence de l'enfant.

C'est dire que l'arrivée d'une famille dans une unité parents-enfants (en ce qui concerne les enfants les plus jeunes) amène à partager beaucoup d'émotions et d'angoisse, et contraint les soignants à des réflexions en profondeur sur le but d'une hospitalisation, sur les relations avec les différentes équipes qui interviennent aussi au sein de la famille. Chacun des soignants de l'unité doit pouvoir analyser au quotidien ses propres idéalisations. L'image de «la bonne mère» reste l'écueil le plus redoutable. Les réunions d'équipe sont particulièrement importantes dans ce type de prise en charge.

Les mères psychotiques posent à plus long terme d'autres problèmes. Il ne s'agit pas à notre sens de se substituer à une équipe de psychiatrie d'adultes, sous prétexte qu'il y a un bébé. Mais là encore, la distinction peut parfois paraître artificielle. Qui aura la responsabilité du traitement médicamenteux de la mère? Avons-nous plutôt affaire à des troubles psychiatriques chez la mère, ou à des interactions problématiques entre tel bébé, qui a lui-même certaines initiatives ou certains choix dans l'interaction, et sa mère psychotique ou déprimée? Comment accepter, comme certains psychiatres d'adultes nous le demandent, que le bébé soit considéré comme «thérapeutique» pour la mère? Ou encore, jusqu'à quel point ou pendant combien de temps doit-on favoriser une relation entre un bébé et une mère gravement perturbée (délirante, hébéphrène ou mélancolique)? On le voit, les unités parents-enfants posent des questions difficiles à résoudre.

Mais les unités parents-enfants peuvent avoir d'autres indications: elles nous paraissent intéressantes dans les pathologies du narcissisme. Elles permettent d'agir rapidement dans des situations graves, par exemple de sévices causés à l'enfant, alors qu'une psychothérapie plus classique, même si elle est acceptée, a peu de chances de produire des effets dans des délais utiles.

Dans ces indications, pour ces patients «limites», la métaphore maternelle que représente l'unité permet de reposer les questions de la dépendance, de la séparation, de l'agressivité. La multiplicité des intervenants, voire des équipes, permet de rendre supportables les relations qui s'établissent.

Ces patients supportent mal la situation de psychothérapie individuelle, la vivent comme persécutive, ou encore ne peuvent adhérer à certains présupposés culturels concernant l'efficacité de la psychothérapie. Plus profondément, ils redoutent la dépendance que pourrait instaurer une relation privilégiée: dépendance redoutée dans la réalité, du fait des expériences traumatisantes des ruptures antérieures, et dans le fantasme, du fait du statut clivé du thérapeute, tour à tour tout-puissant et bienveillant, ou au contraire persécuteur.

Les unités parents-enfants permettent l'abord de ces phénomènes transférentiels d'une manière différente, car les suppléances narcissiques sont possibles si certains soignants apparaissent comme défaillants. Mais cette charge transférentielle est dangereuse pour une équipe. D'une part, il faut que chaque membre puisse supporter les fantasmes dont il est l'objet, et l'analyse de ce qui se passe dans le transfert et des contre-attitudes des soignants est essentielle. D'autre part, l'équipe ne doit pas être dupe du clivage entre bons et mauvais soignants. Le risque serait alors grand pour les soignants d'utiliser en retour la projection persécutive pour éviter les sentiments dépressifs résultant d'une dévalorisation narcissique. C'est à ce prix qu'un véritable soin des situations de négligences graves ou de sévices à l'enfant peut parfois être entrepris.

LES GROUPES MÈRES-ENFANTS

Les groupes mères-enfants représentent une alternative aux entretiens mère-enfant, voire à une psychothérapie mère-enfant. Celle-ci est dans bien des cas irremplaçable, mais elle n'est pas toujours acceptée par certaines mères. La rivalité avec le thérapeute est un écueil qui ne peut pas être toujours dépassé. Quand le thérapeute entre directement en relation avec le bébé, les fantasmes de vol d'enfant sont fortement avivés de part et d'autre. Quand, au contraire, le thérapeute n'entre en relation avec l'enfant que par l'intermédiaire de la mère, la culpabilité parentale se trouve fortement augmentée et il n'est pas toujours possible, selon le type de relation qui s'engage, et selon la personnalité de la mère, d'analyser avec cette dernière les éléments transférentiels de ces situations.

A l'inverse, les groupes mères-enfants permettent des échanges entre mères et des échanges entre enfants. Le rythme instauré dans notre service (Millecam, 1991) est hebdomadaire. Malgré son aspect «groupe de parole», nous allons essayer de montrer dans le cas clinique qui suit qu'il comporte des aspects psychothérapiques plus profonds que ce que les mères imaginent à l'entrée. Les animateurs en sont une psychologue, une puéricultrice, et pour deux de nos trois groupes, un médecin (interne ou assistant).

L'histoire de Mike et de sa mère

Première consultation

Madame B. et Mike, âgé de 19 mois, ont été adressés par leur pédiatre dans le service, en raison des troubles du comportement de cet enfant, colères, cris, pleurs, auto-agressivité (il se cogne la tête contre les murs), ainsi que pour la relation très exclusive qu'il a avec sa mère. Mike a un frère jumeau hétérozygote qui ne présente pas ces troubles. Il est décrit comme plus performant, plus actif, moins fragile.

Cette première consultation montre qu'il persiste un état symbiotique mère-enfant d'un niveau de huit ou neuf mois. Madame B. est bien consciente de cet état de fait mais elle a elle-même du mal à renoncer à ce type de relation. Le groupe mères-enfants est facilement accepté.

Projections parentales L'histoire de Madame M., évoquée au cours des groupes, a été marquée par un long périple d'insémination artificielle. Très désireuse d'avoir un enfant, elle a subi cinq inséminations sans succès, la sixième a conduit à un avortement thérapeutique au cinquième mois de grossesse pour une malformation de type spina bifida, avec une expulsion par voie basse. Enfin la septième insémination aboutit heureusement, bien qu'une menace d'avortement précoce l'oblige à garder le lit dès le cinquième mois de grossesse. Une souffrance foetale est alors détectée chez l'un des jumeaux. Madame B. pense rétrospectivement qu'il s'agissait de Mike, bien qu'à la naissance (pour un poids approximativement identique d'environ deux kgs), c'est Cédric qui avait nécessité une assistance respiratoire. Leur poids de naissance les oblige à rester *«en élevage»* jusqu'à trois kgs, pendant un mois; Madame B. dit: *«On les a nourris comme des oies»*.

La séparation a été très douloureuse pour Madame B.. Quand les enfants sont arrivés à la maison, Cédric allait bien, mais Mike vomissait après ses biberons, et Monsieur B. avait de la répulsion à s'occuper de Mike. Très vite il a eu une attitude de rejet, le trouvant trop passif, trop fragile. Monsieur B. avait fini par attribuer Mike à sa femme, et par s'attribuer, avec le soutien de ses propres parents, Cédric, enfant dynamique, fonceur, performant, *«qui lui ressemblait»*. Mike, au contraire, était devenu l'enfant de la mère.

Madame B. nous dit son ressentiment car les projections ne s'arrêtaient pas là. Dans le couple de jumeaux, Cédric était l'enfant actif-masculin, et Mike, l'enfant passif-féminin. Ses grand-parents paternels l'appelaient *«le frisé avec le petit doigt en l'air»*, et Madame B. nous dit: *«Ils me le traitaient de pédé!»* (l'enfant avait alors quelques mois).

Dès lors, les relations avec la belle-famille sont devenues conflictuelles et Madame B., en femme et mère déterminée, jugeant leur présence néfaste, décida qu'elle gérerait absolument toutes leurs visites, n'accordant qu'une heure par semaine au grand-père paternel qui était en fait le seul demandeur.

Madame B. dénonçait l'attachement intense de son mari pour ses parents, comme un risque, une menace qui pesait sur son couple. Elle voulait protéger son intimité, surtout avec ses enfants, et pour cela elle était prête au divorce si les règles fixées étaient enfreintes. Elle se voulait barrière protectrice face à cette famille *«hostile, étrangère»*.

Monsieur B. étant souvent absent, son avis n'est pas pris en considération. Il est en effet très occupé par son métier de marin-pompier et Madame B. avait appris à organiser sa vie un peu en dehors de lui. De toute façon, les jumeaux l'occupaient beaucoup: tous les soirs elle se rendait rituellement disponible environ une heure et demie uniquement pour jouer avec eux sans interruption. Pour s'endormir, ils avaient tous les deux un objet transitionnel (peluches).

Fonctions du groupe Le groupe a très vite pointé l'exclusion du père dans ces relations. Madame B. le confirma: non seulement Monsieur B. avait manifesté dès la naissance une attitude de rejet envers Mike, mais de plus Mike refusait activement d'aller vers lui, ce qui aggravait encore la mise à distance paternelle.

Madame B. en éprouvait une sorte de jouissance douloureuse, car son sentiment de toute-puissance sur cet enfant était satisfait, mais elle avait l'impression que l'enfant était moins épanoui. Cette toute-puissance s'était déjà manifestée deux mois après la naissance, quand elle s'était opposée aux médecins après l'intervention pour l'étranglement d'une hernie inguinale chez Mike. Ils étaient sortis de l'hôpital contre avis médical, et contre l'avis du grand-père paternel.

Les deux enfants présentaient d'autre part un eczéma qui pouvait parfois s'étendre à toutes les parties du corps. Madame B. les emmène en cure quinze jours par an. Dans le groupe Madame B. surprenait souvent par ses *«révélations»* qui tombaient comme fortuitement dans la discussion. Ainsi elle dit aux autres mères présentes qu'elle avait subi quelques semaines après l'accouchement l'ablation d'une partie du colon gauche pour une perforation, complication d'une rectocolite hémorragique. Les médecins avaient déconseillé une grossesse, car elle courrait un risque vital. *«La grossesse a été un challenge, mais j'ai pris le risque.»*

Madame B. se présente comme une femme méticuleuse, elle passe plusieurs heures à son ménage quotidien; manger est une nécessité et non un plaisir. Perfectionniste, exigeante et rigoureuse, elle veut *«transmettre cette manière d'être à ses enfants»*.

Mike, à 19 mois, reste toujours collé à sa mère. Il regarde les autres avec méfiance; il n'ose pas prendre les jouets en dehors de la proximité immédiate de sa mère. Il parle peu, dit quelques mots à voix basse. Le contact avec les autres enfants du groupe a permis une ouverture après un délai de quelques mois. Il fallait passer par une étape de séparation-individuation qui ne pouvait se faire qu'en présence de la mère, afin de permettre à Mike de surmonter cette angoisse de séparation, et aussi sa culpabilité intense à l'idée qu'en se séparant de sa mère, il l'abandonnait, et peut-être, la détruisait (on peut penser ici à la rectocolite hémorragique).

Quant à la rivalité fraternelle, Mike semblait avoir choisi une attitude régressive et fusionnelle pour capter l'amour de sa mère, Cédric occupant l'autre pôle d'attraction par ses compétences psychomotrices. Mike exprimait peu sa jalousie, et laissait en apparence Cédric diriger les jeux, mais il obtenait aussi que Cédric fasse tout ce qu'il ne voulait pas faire lui-même.

En quelques mois de participation au groupe, nous avons vu Mike se transformer. Il est devenu très sociable, son vocabulaire s'est enrichi, et la qualité de sa socialisation et ses acquisitions ont permis à Madame B. d'envisager une scolarisation dès la rentrée suivante. Le renoncement de Mike (et de sa mère) à ses attitudes fusionnelles et régressives a eu un effet très positif sur la relation avec le père; Mike et son père se sont découverts mutuellement, ce qui a positionné différemment les rôles parentaux. En particulier, à une période où Madame B. était physiquement fatiguée, elle ne parvenait plus, selon ses termes, à *«maîtriser»* la situation. Les enfants dormaient mal (Cédric surtout, à la fois plus actif et plus anxieux), étaient désobéissants. Cela l'a conduit à solliciter l'autorité paternelle, réhabilitant l'image du père et aussi celle de l'époux.

Il nous a semblé que le rôle du groupe (Anzieu, 1983; Kaes, 1976) a été important. Madame B. n'adhérait pas aux entretiens pour son fils et elle avec le médecin, car ses difficultés étaient massivement projetées sur les autres (mari, belle-famille), et elle trouvait absurde que ce soit elle qui se *«fasse psychanalyser»*. Sa personnalité nous est apparue rigide, avec des comportements pseudo-obsessionnels, mais qui ne semblaient pas relever principalement de mécanismes de défense contre une angoisse oedipienne. La rectocolite hémorragique s'inscrit de manière assez classique dans ces éléments de personnalité.

Cependant elle a pu accepter progressivement que les autres mères et les thérapeutes lui proposent d'autres images des rôles parentaux, à la fois moins rigides et plus différenciées. Cela a permis une certaine remise en cause du Moi Idéal figé et grandiose qu'elle s'était constitué.

Elle a pu prendre conscience de l'ambivalence de son comportement envers Mike, surprotection mais aussi anxiété exacerbée pour lui et non pour Cédric, alors qu'il y a tout lieu de penser que c'est Cédric qui avait eu une souffrance foetale puisqu'il avait eu besoin d'une assistance respiratoire à la naissance. Cet aspect mortifère, projeté, de son angoisse, a trouvé une issue dans des inquiétudes plus réalistes au moment de la phase de séparation-individuation, d'autant que Cédric était en réalité plus anxieux que son frère, même s'il paraissait a priori plus autonome. Nous avons demandé dans un deuxième temps à voir les deux enfants sur le groupe, ce qui a permis aux autres mères de différencier les enfants d'une manière différente de celle de la famille B..

DISCUSSION

D'une manière plus générale, les groupes mères-enfants ont de nombreuses indications dans les troubles relationnels entre le jeune enfant et sa mère. C'est une forme de psychothérapie bien acceptée qui peut agir à différents niveaux. L'aspect éducatif n'en est pas toujours absent, mais le but n'est pas une guidance parentale dont on connaît les aspects superficiels et, en fait, inutiles.

Son ressort est principalement l'analyse des projections parentales sur les enfants, mais cette analyse circule de manière équilibrée entre les mères. Les interventions des thérapeutes gagnent à être discrètes et à se contenter de relances et de reformulations qui ont pourtant parfois un effet d'insight saisissant. L'interprétation du transfert est évitée à la fois sciemment sur un plan théorique, et aussi par le cadre lui-même qui met en présence plusieurs enfants, plusieurs mères et plusieurs thérapeutes, favorisant les transferts latéraux et répartissant les projections. L'aspect surmoïque que prennent souvent, malgré eux, les thérapeutes, est ainsi atténué et permet aux mères de sortir du clivage archaïque bonne mère/mauvaise mère. Il existe de nombreuses façons d'être parent, et les participants peuvent percevoir à quel point l'histoire infantile de chacun éclaire les relations familiales qu'on établit soi-même à l'âge adulte.

Les enfants bénéficient quant à eux du discours parental à leur égard. A certains moments ils se montrent remarquablement attentifs à ce qui est dit. Il nous semble que la plus grande souplesse dans le discours parental et la possibilité pour les mères d'élaborer différemment les difficultés qu'elles rencontrent avec leur enfant, permettent à ces derniers une plus grande disponibilité psychique, et peut-être, un choix plus vaste dans les comportements interactionnels. A d'autres moments, les échanges entre les enfants eux-mêmes sont très riches. Il s'agit alors d'éléments de socialisation dont certains enfants ont besoin, surtout ceux pour qui l'étape de la séparation-individuation se révèle problématique.

En conclusion, notre expérience nous montre qu'il faut disposer d'une palette étendue de possibilités pour assurer à la fois le recrutement et les soins d'enfants de moins de deux ans. Le réseau d'amont constitue un versant indispensable mais coûteux en temps et en énergie. Les unités parents-enfants et les groupes mères-enfants constituent des alternatives aux classiques psychothérapies mère-enfant.

D'une part en effet, ces dernières trouvent souvent leurs limites dès qu'il s'agit de prendre en charge des familles à problèmes multiples, car à la différence des unités parents-enfants ou des groupes mères-enfants qui ne sont pas immédiatement perçus comme des psychothérapies, elles nécessitent que la mère ou les parents supportent une relation individuelle au long cours, et adhèrent à l'idée que la parole puisse être porteuse de changement.

D'autre part, les difficultés qui apparaissent dans la relation mère-enfant ne sont pas souvent dans la continuité immédiate d'une souffrance antérieure (névrotique ou autre) de la mère ou des parents. Nous avons même le sentiment qu'il s'agit fréquemment au contraire de personnalités dont les mécanismes de défense du Moi étaient jusque-là efficaces. La maternité ou la relation mère-enfant, en venant réactiver la névrose infantile ou les difficultés anciennes dans l'établissement du narcissisme par exemple, remettent en question d'une manière insupportable cet équilibre. Cela suscite des résistances psychologiques intenses chez les parents et une projection massive des difficultés sur l'enfant. Ce dernier représente à la fois la cause objective de la déstabilisation et certaines parties infantiles conflictuelles de la mère ou des parents.

Enfin, nous aimerions disposer d'une équipe de soins à domicile mais ce dernier volet, qui nous apparaît de plus en plus indispensable, ne fonctionne actuellement que de manière ponctuelle, sans personnel individualisé et expérimenté. Lorsque les interventions à domicile se font dans un moment critique de l'évolution, elles peuvent être déterminantes dans l'évolution d'une famille. Malgré le risque que ces interventions prennent un caractère intrusif ou persécutif, elles ont été souvent perçues, au contraire, par les familles concernées, comme une marque d'intérêt et une possibilité de relance dans une situation qui se bloquait.❖

Psychological and psychiatric treatments of very young children (from birth until 2 yrs-old) are still rare even if numerous works have recently shown a large interest in early mother-child interactions. To be able to move from theory to practice, it is necessary to think of an effective strategy for treatment, and to further install an up-stream network and various therapeutic means. In this article, the authors present their parents-child care unit and while discussing the case of Mike and his family, they illustrate the functioning of their mothers-children groups. Both means represent necessary alternatives to the mother-child therapeutic consultations which in fact have a limited impact if the families addressed have multiple problems.

Références

Battista M, Poinso F, Rufo M. Les interventions psychiatriques chez l'enfant de moins de cinq ans: prévention ou soin? **Pédiatrie** 1993;48:485-488.

Cramer B, Bachmann JP. Interventions psychothérapiques brèves parents-enfants. **EMC Psychiatrie** 1989:37196 A10.

Dugnat M. **Hospitalisation mère-enfant: stratégie d'une prévention primaire**. [Thèse] Marseille, 1988.

Dugnat M, Fanjoux L, Soulayrol R. Prise en charge des dyades mère-enfant à risque dans une unité d'hospitalisation conjointe. **Pédiatrie** 1990;45:875-879.

Millecam I. **La pédopsychiatrie du jeune âge: étude d'un groupe de prévention mères-enfants.** [Thèse] Marseille, 1991.

Peille F, Golse B. Prévention et modes d'intervention chez le nourrisson et le jeune enfant jusqu'à trois ans. **EMC Psychiatrie** 1990;37205 A10.

Poinso F, Soulayrol R. L'hospitalisation mère-enfant dans l'abord des pathologies "limites" de l'enfant et de la mère. **Information Psychiatrique** 1994;70:43-48.

Lectures suggérées

Anzieu D. **Le groupe et l'inconscient: l'imaginaire groupal.** Paris: Dunod, 1984.

Information psychiatrique 1994;70:(1) (Numéro consacré à l'hospitalisation conjointe mère-enfant).

Kaes R. **L'appareil psychique groupal: constructions du groupe.** Paris: Dunod, 1976.

Lebovici S. **Le nourrisson, la mère et le psychanalyste: les interactions précoces.** Paris: Centurion, 1983.

P.R.I.S.M.E. été 1994, vol. 4, nos 2-3

L'APPORT DU PSYCHODRAME DANS LE TRAITEMENT D'ENFANTS SUIVIS EN CENTRE DE JOUR

Pina CATANIA
Natalie GRIZENKO

Pina CATANIA, M.A., est conseillère au groupe santé Physimed.

Dr Natalie GRIZENKO est pédopsychiatre et professeure adjointe à l'Université McGill. Elle est directrice du Centre de jour Lyall pour préadolescents à l'Hôpital Douglas.

Les troubles du comportement chez les enfants constituent le motif le plus fréquent de consultation en psychiatrie (Anderson et al, 1987). Dans le cas où les enfants ont des troubles très sévères et deviennent incontrôlables aussi bien à la maison qu'à l'école, ils pourront être inscrits au centre de jour où ils bénéficieront d'un traitement plus intensif que celui offert en service externe. Chez ces sujets, on retrouve de nombreux symptômes secondairement associés aux problèmes de comportement, tels que fonctionnement social détérioré, dépression, faible estime de soi et pauvre rendement, sinon échec scolaire. Dans ces cas, une approche intégrant des modalités multiples s'avère nécessaire non seulement pour diminuer les agirs de l'enfant mais pour aborder les enjeux dynamiques, familiaux et relationnels qui maintiennent son comportement déviant (Grizenko, Papineau, Sayegh, 1993; Grizenko, Archambault, Pawliuk, 1992).

Le psychodrame peut être considéré comme un complément par rapport aux autres modalités thérapeutiques utilisées en centre de jour (Pisa & Lukens, 1975). Il en est cependant un élément important dans la mesure où il permet aux enfants d'exprimer leurs conflits internes au moyen de la dramatisation symbolique. Souvent, ces sujets constateront qu'il leur est plus facile de représenter par des actions que par des mots des situations émotionnellement très chargées.

Cet article rapporte une expérience utilisant le psychodrame dans le traitement d'enfants préadolescents atteints de problèmes sévères de comportement et qui sont suivis en centre de jour dans un programme intégrant des modalités multiples.

Après avoir revu l'historique et la méthode du psychodrame, les auteures décrivent la technique psychodramatique utilisée dans le programme du centre de jour Lyall où l'accent est mis sur la psychodynamique et le processus de groupe. Trois vignettes viennent finalement illustrer les apports de l'approche psychodramatique.

Le psychodrame agit à deux niveaux: il rejoint le monde interne et les préoccupations de l'enfant, en même temps qu'il utilise le processus de groupe pour effectuer des changements. En exprimant au moyen du jeu ses peurs, ses fantaisies et ses désirs dans un environnement sécurisant, l'enfant est à même de travailler des situations difficiles de sa vie (Davies, 1976; Pinaud-Daeschner, 1982). En plus de favoriser la cohésion du groupe, cette approche amène l'enfant à explorer les raisons pour lesquelles il maintient des modèles de comportement destructeur au lieu de les changer. Elle pourra enfin contribuer à la compréhension des symptômes et apporter, par leur résolution, des changements permanents chez l'enfant.

La technique du psychodrame

J.L. Moreno, créateur et promoteur du psychodrame, visait par cette approche à mettre l'emphase sur l'action et le jeu (Tourane, 1975; Kellerman, 1991). Il considérait que la thérapie de groupe qui va *«d'un climat naturel à un climat synthétique»* n'était pas suffisante et il voulut ainsi créer un nouvel environnement dans lequel discussions, conflits et tensions seraient reconstruits de la même manière qu'ils se présentent dans la vie quotidienne.

La mise en place psychodramatique incorpore les trois dimensions du temps: passé, présent et futur (Blatner & Blatner, 1988), les sujets pouvant situer leurs scènes dans l'une ou l'autre de ces dimensions. En rejouant le passé dans le présent, le sujet peut être aidé, grâce au soutien apporté par l'entourage, à libérer toutes les émotions associées à des souvenirs traumatisants pour lui. Le futur est aussi une dimension importante dans cette approche, puisque les enfants apprennent à développer des stratégies qui leur permettront de résoudre éventuellement des difficultés similaires, stimulant ainsi leur espoir dans l'avenir. En ce sens, Blatner & Blatner (1988) soutiennent que le travail psychothérapique devrait servir à élaborer un sens viable du futur aussi bien qu'une capacité d'introspection du passé. En combinant cette approche à un programme continu, on pourra donc augmenter la capacité des patients à devenir plus conscient du présent. Les recherches ont démontré qu'en revivant par le psychodrame les problèmes qu'ils affrontent à la maison ou à l'école, les enfants apprenaient à reconnaître leurs comportements destructeurs, et par suite, à en diminuer la fréquence et à les remplacer par des comportements plus appropriés (Moreno, 1972; Boulanger, 1965; Knittel, 1991; Sasson, 1991).

Bien que la technique varie selon les thérapeutes, il existe néanmoins certaines caractéristiques communes à tout psychodrame. Ainsi, la session psychodramatique se divise en trois parties: le réchauffement, la phase de dramatisation et le partage. La discussion commence dès la phase de réchauffement, alors que le groupe est invité à partager ses espoirs et ses attentes, tout en étant encouragé à se sentir à l'aise. L'action, sous forme de dramatisation, prend graduellement la place des discussions verbales, puis elle sera suivie d'un retour à la discussion au cours de laquelle les membres sont invités à partager les sentiments personnels et les expériences suscités par le drame.

La méthode psychodramatique utilise essentiellement cinq instruments: la scène, le sujet ou patient, le directeur, les aides thérapeutiques ou «moi auxiliaires», et l'audience (Moreno, 1972). La scène offre aux sujets l'espace nécessaire pour se sentir mobiles et libérés de tout stress insupportable. Le sujet est alors invité à s'exprimer librement et à se permettre de vivre les pensées et les sentiments du moment; ceci exige un maximum d'engagement de la part des autres participants.

Le directeur occupe dans le jeu trois fonctions principales. La première, celle de «producteur», signifie qu'il/elle doit être vigilant(e) et saisir chaque réplique proposée par le sujet dans l'action dramatique. La deuxième fonction en est une de «thérapeute offensif», ce qui implique qu'il réagisse, par exemple, en riant, ou en provoquant le sujet, et enfin, la troisième fonction, celle d'«analyste», amènera le thérapeute à compléter les interprétations faites par le sujet.

Les aides thérapeutiques jouent pour leur part le rôle d'acteurs, en incarnant sur la scène les personnes absentes telles qu'elles se présentent dans le monde privé du patient; ce faisant, elles permettent au patient de décrire son expérience, le rendant ainsi capable d'affronter ses propres figures internes. Enfin, l'audience a un double rôle, soit celui d'aider le sujet ou d'être à son tour aidée par lui au cours de l'improvisation dramatique.

La méthode psychodramatique peut être ouverte ou fermée (Moreno, 1972). Le système ouvert utilise la communauté, alors que dans le système fermé, le patient est retiré de son environnement immédiat et placé dans une situation particulièrement adaptée à ses besoins. Cet endroit dans lequel toutes les situations et les rôles peuvent être représentés est considéré comme un système fermé parce qu'il n'y a pas de place pour les spectateurs autres que les thérapeutes, aides thérapeutiques et assistants auxquels sont assignés des rôles au cours de la session. Chaque situation et chaque performance sont analysées immédiatement après le drame en présence et avec la collaboration des patients; le directeur ouvre la discussion et le dialogue qui s'ensuit fait référence à la production nouvellement expérimentée.

Après cette présentation des origines et du dispositif mis en place dans le psychodrame, il nous paraît important de relever un thème central dans l'ouvrage de Moreno, qui concerne les concepts de spontanéité et de créativité (Moreno, 1964; Blatner & Blatner, 1988; Kipper, 1967). Le psychodrame est né de l'idée que l'expression de la vitalité et de la créativité était de la plus haute importance dans la résolution des conflits. L'essentiel ici est que chacun peut recréer par le psychodrame ce qui se passe dans son esprit, son expérience devenant de ce fait mobilisable. La spontanéité et la créativité ont une grande valeur thérapeutique pour l'acteur et pour l'audience et c'est dans la mesure où le sujet se permet une spontanéité totale dans l'expression de son monde privé que ses problèmes, ses conflits et ses rêves commencent à émerger. La spontanéité libère la créativité, rejoignant ainsi le but du psychodrame qui n'est pas simplement de rendre le sujet spontané mais de lui donner davantage accès à son potentiel créateur (Kipper, 1967).

Le programme du centre de jour Lyall

Le programme mis en place au centre de jour offre des thérapies intégrant des modalités multiples à des enfants âgés de 6 à 12 ans qui souffrent de troubles graves du comportement. Les diagnostics posés incluent l'hyperactivité, les troubles d'opposition, les troubles de la conduite et les troubles d'adaptation avec perturbation des conduites. Les activités proposées consistent en un bloc quotidien de 2.5 heures d'éducation spécialisée et un bloc de 3 heures de thérapie, incluant la thérapie individuelle par le jeu, le psychodrame, la thérapie familiale, la thérapie de groupe, les groupes d'habiletés sociales, la musicothérapie et la zoothérapie.

Les enfants sont regroupés selon leur âge avec au maximum six enfants par classe. Le traitement est administré et supervisé hebdomadairement par une équipe multidisciplinaire composée d'un psychiatre, de psychologues, infirmières, travailleurs sociaux, ergothérapeutes, professeurs et éducateurs. Les buts du traitement varient selon les besoins individuels mais incluent généralement les suivants: apprendre à l'enfant à exprimer verbalement ses sentiments plutôt qu'à les agir, imposer des limites aux comportements jugés inacceptables, comprendre le rôle du système familial dans le comportement déviant de l'enfant, développer la socialisation et les capacités de communication, augmenter l'estime de soi, la capacité de vivre des succès et améliorer la performance scolaire de l'enfant (Grizenko, Papineau & Sayegh, 1993). Les enfants restent en moyenne de 4 à 6 mois et sont ensuite progressivement réintégrés dans l'école de leur communauté.

L'approche psychodramatique en centre de jour

Le programme du Lyall utilise une version modifiée de l'approche psychodramatique de Moreno (Moreno, 1964; Fox, 1987). Dans le groupe, les enfants dirigent à tour de rôle en proposant une situation personnelle et significative qui est ensuite jouée. En pratique, l'enfant qui agit comme directeur expose le scénario et procède, avec le thérapeute, à la distribution des rôles qui sont assignés aux membres du groupe sur la base de leurs conflits particuliers, donnant à la représentation une valeur thérapeutique pour chacun. La discussion et l'analyse approfondie de l'action dramatique qui font partie intégrante du processus se tiennent entre les membres du groupe et les thérapeutes. Ces derniers prennent une position active, en servant souvent de joueurs, et occasionnellement, en influençant l'improvisation dramatique pour l'amener vers une résolution du conflit présenté dans le jeu de l'enfant.

Les enfants qui fréquentent le centre ont une heure de psychodrame par semaine. Le groupe, dirigé par deux psychothérapeutes expérimentés met l'accent sur la psychodynamique et le processus de groupe. La composante psychodynamique aide les enfants à prendre conscience de leurs conflits émotifs, en les incitant à remarquer comment ils se sentent et se comportent dans certaines situations interpersonnelles chargées au plan imaginaire. Elle leur permet d'exprimer et de vivre leurs émotions verbalement et non verbalement dans une situation sécurisante de 'faire comme si', ce qui favorise l'émergence d'émotions réprimées et une meilleure compréhension des conflits internes qui se manifestent souvent par des comportements déviants. Une fois les enjeux profonds explorés, des scénarios de résolution de conflit peuvent aussi être joués dans le but de travailler certains problèmes émotifs. Le processus de groupe permet quant à lui aux enfants de mieux comprendre les agirs d'autres membres du groupe, de développer de meilleures relations avec les pairs, et en retour, de se sentir socialement plus compétents.

La discussion qui suit le psychodrame offre elle aussi à l'enfant «sujet» une occasion de partager ses pensées et ses sentiments. Les autres enfants ou les joueurs l'aideront à organiser ses pensées et à identifier différents scénarios pour faire face à ses conflits. Le psychodrame permet enfin aux participants d'atteindre un sentiment de compétence, de vaincre leur peur et d'oser dévoiler un matériel qui leur est personnel. Chez un enfant initialement très timide et qui se sent incompétent, la démonstration d'une telle habileté augmentera sa propre estime et son sentiment de maîtrise sur soi. De plus, le psychodrame nourrit la cohésion du groupe, alors que chacun prend conscience qu'il n'est pas seul à faire face à une situation difficile. Les enfants s'aident entre eux en identifiant des aires de problèmes et en fournissant des moyens alternatifs de résolution, ce qui a pour effet de diminuer le sentiment d'isolement.

Les buts que nous visons par le psychodrame sont similaires à ceux décrits par Moreno qui souligne l'importance de la spontanéité et de la créativité dans la libération des émotions (Moreno, 1966; 1972; Kipper, 1967). Dans nos groupes, plusieurs enfants réagissent à des problèmes souvent accablants en se montrant excessivement contrôlés et contrôlants. Le psychodrame leur fournit une avenue où ils sont libres d'expérimenter un large éventail d'attitudes et d'émotions, alors que dans d'autres approches thérapeutiques, les enfants seront beaucoup plus contrôlants, soit par crainte des répercussions, s'ils exprimaient de la colère en thérapie familiale, par exemple, ou encore, par peur que leurs émotions ne soient pas contenues, comme cela arrive dans les discussions de groupe.

Un aspect spécifique du psychodrame consiste dans le fait qu'il permet au sujet d'exprimer des émotions d'une manière qui est ou très proche ou très distante de ce qu'il ressent effectivement. Les enfants peuvent donner leur propre nom aux personnages du drame, adopter des noms et des personnalités très différents, ou encore attribuer des pouvoirs qu'ils n'ont pas mais qu'ils désirent voir incarner par ces personnages.

Le psychodrame améliore la communication et aide l'enfant à se dégager de ses conflits par des prises de conscience («insight») basées sur l'expérience et qui peuvent d'ailleurs être souvent plus riches et plus puissantes que les prises de conscience verbales. Le psychodrame peut aussi aider l'enfant à identifier et nommer ses sentiments et à utiliser les connaissances tirées des émotions éprouvées en thérapie familiale et en thérapie de groupe. Les vignettes suivantes apportent trois exemples de cas qui se sont présentés au cours de nos sessions.

Le groupe dont il s'agit est composé de cinq enfants âgés de 10 à 12 ans, dont deux ont un diagnostic de troubles d'opposition, un autre, des troubles d'opposition associés à des troubles de l'attention avec hyperactivité, et les deux derniers, des troubles d'adaptation avec perturbation des conduites, secondaires au divorce des parents, à des abus physiques et de la violence familiale. Plusieurs thèmes ont été traités dans les psychodrames, tels que le divorce, l'échec scolaire, les troubles d'apprentissage et l'abus de drogue et d'alcool.

Vignette no 1:
Abus parental

Dans cette session, Michel, le directeur, est au début du jeu un petit garçon qui voudrait devenir un *«expert en karaté»*. Il est enlevé par les ninjas et mis en prison. Il s'arrange pour appeler ses amis qui l'aident à s'enfuir. Ils appellent ensuite la police qui capture les *«méchants ninjas»*, mais en route vers la prison, les ninjas s'enfuient. Une bataille s'ensuit et la police tire sur les ninjas.

Au moment où Michel décrivait et plus tard, lorsqu'il joua la scène, la direction ou la signification du drame n'était pas claire et ce n'est qu'au cours de la discussion qui suivit qu'il devint clair que le jeu reflétait sa situation de vie. Au cours de la fin de semaine, le beau-père du *«directeur»* était arrivé à la maison en état d'ébriété et avait commencé à battre sa mère. Michel voulut la protéger, mais il fut incapable de battre son beau-père parce qu'il n'était pas un «expert en karaté». Il appela alors la police mais avant qu'elle n'arrive, son beau-père s'enfuit de la maison. La police le rattrapa finalement et le mit sous bonne garde.

Quand nous avons comparé le jeu de Michel à sa situation familiale, il devint évident qu'il désirait devenir expert en karaté pour protéger sa mère. Voyant qu'il n'était qu'un enfant, il ne pouvait qu'appeler la police, tout comme il avait fait dans le jeu. On note aussi qu'à la fin du jeu, les ninjas sont abattus par la police, celle-ci étant incapable de les arrêter, ce qui suggère que Michel désire peut-être que son beau-père quitte la famille définitivement.

Il est important de noter qu'en thérapie familiale, la mère n'avait pas parlé de ce qui s'était passé à la maison parce qu'elle avait trop honte et qu'elle voulait protéger le beau-père. Michel avait aussi reçu le message qu'il ne devait pas parler de la situation familiale à ce moment. Ce n'est qu'à l'occasion et par le moyen du psychodrame que Michel, en s'éloignant suffisamment de sa situation, a pu commencer à aborder ses peurs, sa fantaisie d'être tout-puissant et sa culpabilité face à son manque de pouvoir.

Le groupe des pairs a été très important au cours de la discussion. Michel se sentait frustré par son incapacité de battre son beau-père et il aurait voulu aider sa mère en faisant plus que d'appeler simplement la police. Les autres enfants l'ont alors aidé à reconnaître qu'il n'y avait rien d'autre à faire et que de vouloir se battre avec son beau-père n'était pas réaliste.

Le diagnostic posé dans le cas de Michel est celui de trouble d'adaptation avec perturbation de la conduite secondaire à la violence familiale à laquelle il a été exposé. Ce garçon avait été adressé à notre programme en raison de fréquentes batailles à l'école et de son comportement agressif et défiant. On retrouvait un désir très fort chez Michel d'utiliser l'agression pour résoudre ses problèmes. Les autres enfants ont pu lui confirmer son incapacité d'agir dans cette situation et l'ont aidé à prendre conscience du fait que *«la violence ne résout pas tout et qu'il vaut mieux s'en aller»*.

Vignette no 2: **Divorce des parents**

Manuel est actuellement au centre du divorce de ses parents et il ressent beaucoup de colère et de tristesse devant son incapacité à changer cette situation. Dans le drame, Manuel recrée la situation familiale. Son jeu commence par une scène montrant des parents en train d'argumenter à la maison. Le père informe ensuite les enfants que les parents vont divorcer. Mais les parents sont incapables d'aller chacun de leur côté, à moins de vendre la maison. Ils appellent alors l'agent immobilier qui, plus tard, vendra leur maison. Les parents retournent alors en Cour pour déterminer qui aura la garde de l'enfant et le juge accorde la garde à la mère. Présentement, les parents de Manuel sont à l'étape d'essayer de vendre leur maison et la garde des enfants n'est pas encore déterminée.

Un élément important de ce jeu a été celui de la distribution des rôles. Fait intéressant, Manuel a choisi de jouer le rôle du père et il a donné son propre rôle à l'un des garçons les plus robustes du groupe. Son choix de jouer le rôle de son père peut être dû à son besoin d'exprimer la colère qu'il ressent envers lui, et en même temps d'essayer de comprendre ce que son père ressent face au divorce. Le choix fait par Manuel dans le cas de son propre personnage est aussi important puisqu'il donna le rôle au garçon le plus robuste du groupe (Luc) qui devait bientôt quitter le centre mais qui avait lui aussi vécu le divorce de ses parents lorsqu'il était plus jeune. Ce choix de Luc reflète sans doute le besoin chez Manuel de recevoir du support d'un enfant qui a subi un divorce et qui peut ainsi lui donner des moyens et l'aider à affronter cette situation.

La discussion de groupe qui suivit fut très significative car trois des enfants avaient vécu un divorce et furent ainsi capables d'aider Manuel dans son épreuve. Les enfants discutaient de certains points concernant la garde de l'enfant et ils constataient combien il était difficile de choisir le parent avec qui ils iraient vivre. Les enfants exprimèrent aussi leur inquiétude à propos des sentiments de l'autre parent en ajoutant qu'ils ne voulaient pas le blesser. Un des enfants déclara qu'*«au moins, ils ne sont pas morts, alors peu importe où ils vivent, on peut toujours les voir»*. Cette déclaration aida Manuel à réaliser que le divorce de ses parents ne signifiait pas qu'il ne pourrait plus les voir mais simplement qu'ils vivraient dans des maisons séparées.

En résumé, le psychodrame aida Manuel à reconnaître sa colère et sa tristesse et, grâce au support du groupe, il réalisa qu'il lui était plus facile avec le temps de composer avec sa situation. Le jeu permit aussi aux autres enfants de discuter de points très sensibles autour du divorce de leurs propres parents et, à même la peine partagée, de consolider leur compréhension de même que l'unité du groupe. Fait à noter, c'est à partir de cette session que les discussions devinrent beaucoup plus intenses et ouvertes dans ce groupe.

Vignette no 3: Flexibilité et psychodrame

Cette session démontre la flexibilité avec laquelle le psychodrame peut être employé. Quand les enfants entrèrent dans la salle de jeu, deux d'entre eux étaient engagés dans un conflit qui était survenu en classe. Le directeur essaya d'initier un jeu mais sans succès, le conflit se poursuivant entre les deux garçons. Le thérapeute tenta alors de leur faire jouer la scène, ce qui ne donna aucun résultat, les deux garçons étant trop en colère l'un envers l'autre.

Une discussion s'engagea alors sur le thème qui était important pour eux à ce moment: leur colère. Pendant que les garçons discutaient de ce qui les ennuyait l'un chez l'autre, une troisième enfant, Brigitte, prit le rôle de médiateur et raconta au thérapeute ce que chacun essayait de dire. En jouant toujours le rôle de médiateur, Brigitte aida aussi les garçons à se comprendre mutuellement en expliquant ce dont elle avait été témoin dans la classe.

Ce dernier cas nous amène à souligner deux aspects importants du psychodrame, i.e. la flexibilité de l'approche et l'importance de suivre la direction que l'enfant veut prendre. Dans cet exemple, il était évident au départ que les deux garçons étaient trop en colère pour jouer ensemble, et par conséquent, qu'il était nécessaire de reconnaître leur hostilité et de ne pas engager immédiatement un jeu. Cette session est aussi fascinante, dans la mesure où la petite fille qui a pris le rôle du médiateur était, à son arrivée au centre, très renfermée, timide, agressive et affichant de l'opposition. A sa première participation au psychodrame, elle avait eu de la difficulté à rester tout au long du jeu, et même lorsqu'elle était présente au cours des sessions, elle participait rarement ou n'apportait aucune information sur ses sentiments par rapport au jeu. On peut donc voir combien elle s'est améliorée, au point de prendre le rôle menaçant et directif de médiateur, rôle qu'elle a assumé en ayant confiance de le remplir et de se montrer adéquate et efficace en le jouant.

Nous pouvons voir, à partir de ces vignettes, que le psychodrame vise une variété de tâches. Par cette approche, les enfants peuvent représenter des scènes réellement arrivées ou encore, recréer leur situation familiale en décrivant ce qu'ils souhaiteraient vivre. Le psychodrame offre aux enfants un espace pour être eux-mêmes, où ils n'ont pas à être durs, mesquins ou agressifs, mais où ils peuvent agir leur colère, ressentir leur tristesse et même pleurer, sans se sentir honteux de révéler leurs sentiments. Finalement, ce processus thérapeutique contribue grandement à créer la cohésion du groupe en apprenant à chacun à considérer les situations selon le point de vue de l'autre.

Conclusion

Nous avons discuté de l'utilisation du psychodrame dans le traitement d'enfants suivis en centre de jour. Les vignettes présentées démontrent l'intérêt d'être flexible en utilisant cette approche qui permet, si le thérapeute est attentif à l'enfant, de rejoindre deux aspects essentiels de son fonctionnement, soit le processus de prise de conscience que l'enfant pourra réaliser à propos de ses comportements et de ses émotions, et son mode d'interaction dans un groupe. D'autre part, l'information obtenue au cours des psychodrames, tels que les perceptions ou les prises de conscience réalisées à propos de problèmes ou d'événements de la vie, les modes de résolution proposés par les enfants, les interactions sociales suscitées par le groupe, tout ce matériel pourra être partagé avec les autres intervenants qui en tireront une compréhension plus profonde des enfants.

Ajoutons ici que beaucoup de travail reste à faire dans ce champ si l'on veut développer une théorie solide, entr'autres sur les indications et les modalités d'action, de même qu'évaluer l'efficacité de cette approche par des études systématiques. Toutefois, nous voyons dans notre centre des enfants qui utilisent ce medium pour exprimer des sentiments, par exemple d'abandon ou d'abus, autrement très difficiles à rejoindre, et aussi des enfants qui, hier renfermés, parviennent à s'épanouir dans un rôle de médiateur.❖

This paper considers the effectiveness of psychodrama in treating preadolescent children with severe behavior problems in a multimodal day treatment setting. After describing the history and method of psychodrama, the authors discuss the psychodrama technique used at Lyall where the emphasis is placed on psychodynamic and group process. Three case vignettes are successively discussed.

Références

Anderson JC, Williams S, McGee R, Silva PA. DSM III disorders in preadolescent children. **Arch Gen Psychiatry** 1987;44:69-76.

Blatner A, Blatner A. **Fondations of psychodrama: history, theory and practice.** New York: Springer Publ., 1988.

Boulanger JB. Group analytic psychodrama in child psychiatry. **Can Psychiatr Assoc J** 1965;10:427-432.

Davies MH. The origins and practice of psychodrama. **Br J Psychiatry** 1976;129:201-206.

Fox J. **The essential Moreno: writings on psychodrama, group method & spontaneity by JL Moreno**. New York: Springer Publ., 1987.

Grizenko N, Archambault P, Pawliuk N. Level of disrupted peer relations and poor self-esteem in children with behavior problems and the effectiveness of day treatment. **Int J Partial Hosp** 1992;8:97-106.

Grizenko N, Papineau D, Sayegh L. Effectiveness of a multimodal day treatment program for children with disruptive behavior problems. **J Am Acad Child Adolesc Psychiatry** 1993;32:127-134.

Kellerman PF. An essay on the metascience of psychodrama. **J Group Psychother Psychodrama Sociometry** 1991;47:19-40.

Kipper DA. Spontaneity and the warming-up process in a new light. **Group Psychother** 1967;20:62-73.

Knittel M. Strategies for directing psychodrama with the adolescent. **J Group Psychother Psychodrama Sociometry** 1991;45:116-120.

Moreno JL. **Psychodrama**. Beacon, NY: Beacon House, 1964/1972.

Moreno JL. The roots of psychodrama. **Group Psychother** 1966;19(3/4):140-142.

Pinaud-Daeschner MF. Jeu et psychodrame. **Neuropsychiatr Enfance Adolesc** 1982;30:423-427.

Pisa A, Lukens H. A multifaceted approach to psychodrama in a day treatment center. **Hosp Community Psychiatry** 1975;26:444-447.

Sasson F. Psychodrama with adolescents: management technioques that work. **J Group Psychother Psychodrama Sociometry** 1991;45:121-127.

Tourame G. Le psychodrame de Moreno. **Encephale** 1975;I:249-253.

L'hypothèse de la transmission intergénérationnelle de la maltraitance a trop souvent considérée qu'il existait un rapport de causalité simple entre antécédents de violence chez les parents et abus ou négligence envers leurs propres enfants. A partir d'une étude cas-témoins qui permet le contrôle du facteur «pauvreté», nous montrerons que les parents maltraitants ont été plus fréquemment exposés à des antécédents de violence. Cette démarcation cas-témoins est toutefois relativement faible lorsque les parents maltraitants sont comparés à des parents témoins présentant le même niveau de pauvreté.

ANTÉCÉDENTS DE VIOLENCE ET TRANSMISSION INTERGÉNÉRATIONNELLE DE LA MALTRAITANCE

Raymond MASSÉ

Raymond MASSÉ, Ph.D., est chercheur à la Direction de Santé publique de l'hôpital Maisonneuve-Rosemont. Il a travaillé plus de dix ans au DSC du centre hospitalier de Verdun et il y a effectué des recherches sur la problématique de la maltraitance et sur les déterminants culturels de la nutrition. Depuis 1994, il enseigne l'anthropologie de la santé au département d'anthropologie de l'Université Laval.

L'une des hypothèses prédominantes dans la littérature sur les abus et la négligence envers les enfants veut que les parents maltraitants soient prédisposés à la violence parce qu'ils ont été eux-mêmes maltraités par leurs propres parents (Garbarino et Gilliam, 1980; Kaufman et Zigler, 1987). L'explication ici est attirante et relève d'un certain sens commun. Toutefois, le rapport de cause à effet postulé entre ces facteurs n'est que partiellement confirmé par les données existantes. Un bilan des résultats de recherche publiés amènent Kaufman et Zigler (1987) à estimer que moins du tiers (25% à 35%) des parents qui ont été victimes d'abus physiques, sexuels ou de négligence extrême, maltraiteront leurs propres enfants. Ainsi, au moins deux enfants sur trois victimes de maltraitance ne reproduiraient pas ce pattern auprès de leurs propres enfants.

Les antécédents de maltraitance ne constituent donc ni une cause directe ni une conséquence directe de la violence. Widom (1989a) déduit d'une autre revue de littérature que, si la probabilité de maltraitance des enfants augmente significativement lorsque les parents ont eux-mêmes été maltraités, la majorité des adultes abuseurs n'en rapportent pas pour autant avoir été abusés durant leur enfance. Dans une étude prospective comparant 908 adultes abusés physiquement, sexuellement ou négligés, à 667 adultes d'un groupe contrôle, Widom (1989b) confirme que le cercle vicieux de la maltraitance n'est pas si fermé qu'il n'y paraît. Seuls, 1.1% des adultes maltraités durant leur enfance ont abusé ou négligé leurs enfants, comparativement à 1.0% des adultes du groupe témoin.

Les enfants maltraités ne deviennent pas automatiquement des parents maltraitants. Au Québec, Ethier et coll. (1991) rapportent de la comparaison d'un échantillon de 33 mères d'enfants maltraités avec un groupe témoin apparié, que les mères maltraitantes ont subi au cours de leur enfance dans une plus forte proportion que les mères du groupe témoin, soit de la violence physique (54% contre 30%), de la violence psychologique (54% contre 27%), des abus sexuels (36% contre 30%) ou de la négligence (33% contre 27%). Ces écarts ne sont toutefois pas aussi importants que le laissent supposer certains stéréotypes populaires. Le recours à des groupes de comparaison réduit encore le pouvoir explicatif de l'hypothèse de la transmission intergénérationnelle de la violence, surtout lorsque les parents du groupe de comparaison proviennent du même milieu socio-économique. On réalise, de même, que les antécédents de violence sont largement prévalents dans la population de parents non abuseurs.

Le rapport entre antécédents de violence et maltraitance n'en est pas un de causalité directe. L'une des premières avenues pour relativiser et contextualiser ce rapport est de considérer la maltraitance envers ses propres enfants comme l'une des conséquences possibles des antécédents de violence. Selon cette approche, la présence d'antécédents de maltraitance augmenterait aussi la probabilité de déviance sociale: délinquance à l'adolescence, criminalité à l'âge adulte, violence envers la conjointe et envers les membres de l'entourage en général (Widom, 1989b; Strauss, 1991). Widom (1989b) montre que les enfants maltraités sont légèrement plus susceptibles de poser des gestes criminels (taux de 28,6% contre 21,1% pour les témoins) et d'être arrêtés pour d'autres formes de violence (taux de 8,5% contre 6,1% pour les témoins). La littérature sur le sujet confirme que, parmi les enfants maltraités, environ 20% deviennent délinquants et seulement une minorité d'entre eux deviennent des «criminels». A l'inverse, une forte majorité des délinquants n'ont pas été abusés pendant l'enfance (Widom, 1989a). Des évidences attestent de même que les antécédents de violence augmentent la probabilité que les individus retournent cette violence contre eux-mêmes (suicide, comportements autodestructeurs) et non exclusivement ni automatiquement vers les autres. Enfin, on n'a pu démontrer clairement que les enfants maltraités aient une plus grande tolérance ou intolérance que les autres face aux manifestations de violence (Smetana et coll., 1984) ou qu'ils soient plus portés à promouvoir le recours à la violence pour solutionner des problèmes quotidiens (Carlson, 1991).

Deux facteurs rendent complexe toute analyse contextualisée des rapports de causalité entre antécédents de violence et maltraitance:

1) le fait que le facteur «antécédents de violence» soit associé à plusieurs autres facteurs causals confondants liés aux conséquences immédiates du processus de victimisation, par exemple: antécédents de placement en centre ou famille d'accueil et séparation de la cellule familiale, traumatismes liés au processus de judiciarisation.

2) le fait que le facteur «antécédents de violence» soit fortement corrélé avec diverses expériences liées aux conditions de vie dans la famille d'origine, expériences qui prédisposent le parent à la maltraitance: avoir vécu dans des milieux de pauvreté, être exposé depuis l'enfance à tout un éventail d'événements critiques, de difficultés de vie, d'expériences traumatisantes et de conditions stressantes, violence conjugale entre les parents, socialisation dans des quartiers marqués par la violence, grossesses indésirées ou non planifiées, décrochage scolaire, monoparentalité par suite du départ du père biologique des enfants.

La vérification de l'hypothèse de la transmission intergénérationnelle de la maltraitance a souvent été entravée par diverses limites méthodologiques: insuffisance des effectifs échantillonnaux, absence de groupe de comparaison et d'études longitudinales, études rétrospectives fondées sur les antécédents de violence autorapportés, usage abusif de statistiques inférentielles, laxisme dans la définition de l'«historique de violence» (Kaufman et Zigler, 1987; Massé, 1990a; Widom, 1989a).

En nous appuyant sur un devis de recherche de type cas-témoin, tout en évitant certains de ces écueils méthodologiques, nous vérifierons l'hypothèse voulant que le vécu d'antécédents de violence ne doive être considéré comme facteur «explicatif» de la maltraitance qu'une fois ses effets analysés corrélairement à ceux d'autres facteurs confondants (ex: antécédents de placement, rapports parents-enfants autoritaires) qui en constituent souvent des conséquences. L'impact des antécédents de placement (souvent multiples) serait à analyser tout particulièrement.

MÉTHODE

Les données furent recueillies dans le cadre d'une étude plus large portant sur l'isolement social, la pauvreté et la maltraitance (Massé, 1990b) auprès de 87 parents mis en cause pour négligence (77 cas) et/ou abus physique (10 cas) par les intervenants sociaux du CSSMM et interviewés à leur domicile entre octobre 1990 et décembre 1992. Le groupe de comparaison (témoins) comprend 123 parents échantillonnés au hasard à partir d'une banque de noms tirés du fichier provincial des allocations familiales. Les parents témoins furent appariés aux parents d'enfants maltraités en fonction du quartier de résidence, de la présence d'au moins un enfant de 0-12 ans et du sexe du parent interviewé (85% de mères dans les groupes cas et témoin).

Afin de mieux contrôler l'effet confondant du facteur «pauvreté», nous avons constitué deux sous-échantillons de parents maltraitants pauvres (n=75) et de parents témoins pauvres (n=47). Les parents pauvres d'enfants maltraités sont en moyenne plus jeunes (30 ans) que les parents témoins (38 ans); ils sont monoparentals dans une plus large proportion (63% des cas, 30% des témoins) et présentent plus souvent (47% comparativement à 14%) un «profil de pauvreté» (cumul de quatre facteurs: monoparentalité, scolarité de niveau secondaire ou moins, bénéficiaire de l'aide sociale, revenu familial annuel inférieur à $15,000). Bien qu'échantillonnés dans le même quartier de résidence que les cas, les parents du groupe de comparaison sont plus favorisés économiquement que les parents d'enfants maltraités. Par contre, 38,2% des familles du groupe de comparaison ont tout de même un revenu inférieur au «seuil de faible revenu» de Statistiques Canada (1991) comparativement à 19,7% pour l'ensemble des familles québécoises.

Les parents suivis par les services sociaux pour maltraitance envers leurs enfants seront comparés aux parents du groupe de comparaison en fonction de leurs antécédents de violence (antécédents d'abus physique ou psychologique et antécédents d'abus sexuel), des antécédents de placement et des caractéristiques de ces placements, des moyens utilisés par leurs propres parents pour faire respecter l'autorité dans la famille, des causes perçues d'une enfance malheureuse, du nombre d'enfants dans la famille d'origine, du rang occupé dans cette famille et de l'âge de la mère à la naissance du premier enfant.

Ces informations ont été rapportées par le répondant dans le cadre d'entrevues d'une durée moyenne de 90 minutes réalisées à domicile. La comparaison des deux sous-échantillons de parents présentant un «profil de pauvreté» sera faite pour chacune de ces variables. Ces analyses bivariées (utilisant le test du Chi Carré pour les données catégorielles, et l'analyse de variance à un seul critère de classification pour les données continues) permettront de répondre aux objectifs limités de cet article, soit d'identifier les lieux de différenciation dans les antécédents de violence entre parents maltraitants et parents non maltraitants de niveau socio-économique comparable.

RÉSULTATS

Les deux tiers (67,1%) des parents d'enfants maltraités rapportent avoir été victimes durant l'enfance de violence physique et/ou psychologique alors que le tiers auraient été victimes d'abus sexuel (tableau 1). Ils se démarquent des parents du groupe de comparaison dont moins du tiers (30,1%) rapportent avoir été victimes d'abus physique et/ou psychologique, et 17,6% disent avoir vécu au moins un abus sexuel durant l'enfance. De même, 26,4% des parents maltraitants et 12,2% des parents du groupe de comparaison ont connu l'une ou l'autre des formes de violence (physique, psychologique et sexuelle) durant leur enfance.

Tableau 1
Comparaison des parents maltraitants et non maltraitants, selon la présence du profil de pauvreté, pour les antécédents de violence.

Groupes / Facteurs	PARENTS D'ENFANTS MALTRAITÉS (N=74)	PARENTS GROUPE DE COMPARAISON PAUVRES (N=47)	PARENTS D'ENFANTS MALTRAITÉS (TOTAL) (N=86)	PARENTS GROUPE DE COMPARAISON (TOTAL) (N=123)
ANTÉCÉDENTS D'ABUS PHYSIQUE ET/OU PSYCHOLOGIQUE	68,5 *	46,8	67,1 *	30,1
NOMBRE D'ABUSEURS				
1	54,0	77,3	50,9	73,0
2	18,0	18,2	22,8	21,6
3 ET PLUS	28,0	4,5	26,3	5,4
ANTÉCÉDENTS D'ABUS SEXUEL (Mères)	39,4 n.s.	26,2	39,7 *	17,6
NOMBRE D'ABUSEURS				
1	52,0	90,9	53,6	78,9
2	20,0	0,0	21,4	5,3
3 ET PLUS	28,0	9,1	25,0	15,8
CUMUL DES DEUX FORMES D'ABUS	28,0 n.s.	21,3	26,4*	12,2

* $P < .05$ au Test du CHI Carré.

Les écarts entre les deux groupes de parents s'amenuisent nettement lorsque l'on compare les deux sous-échantillons présentant un profil de pauvreté. Près de la moitié (46,8%) des parents pauvres du groupe de comparaison rapportent alors des antécédents d'abus physique et/ou psychologique et le quart d'entre eux (26,2%), des antécédents d'abus sexuel. Les données disponibles ne permettent pas de mesurer systématiquement la sévérité et la chronicité des abus. Toutefois, les parents d'enfants maltraités rapportent avoir été abusés par un plus grand nombre de personnes, soit par deux personnes ou plus dans la moitié des cas d'abus physique et/ou psychologique et d'abus sexuel. L'identification de ces abuseurs montre (par des analyses complémentaires) que ces antécédents d'abus physique ou psychologique ont été vécus par les parents maltraitants dans le cadre de la famille d'origine (mère ou père biologique ou adoptif, frère) pour 70% des cas. Les autres abuseurs (18%) étaient des membres de la parenté et 12% étaient des membres des familles d'accueil. Pour leur part, les parents du groupe de comparaison ont été plus fréquemment abusés par des membres de la famille d'origine (84%) et moins fréquemment dans les familles d'accueil.

Tableau 2

Comparaison des parents maltraitants et non maltraitants, selon la présence du profil de pauvreté, pour divers marqueurs d'une enfance difficile.

Groupes / Facteurs	PARENTS D'ENFANTS MALTRAITÉ PAUVRES (N=74)	PARENTS GROUPE DE COMPARAISON PAUVRES (N=47)	PARENTS D'ENFANTS MALTRAITÉS (TOTAL) (N=86)	PARENTS GROUPE DE COMPARAISON (TOTAL) (N=123)
ANTÉCÉDENTS DE PLACEMENTS	48,3 *	23,4	42,9 *	15,4
NOMBRE DE PLACEMENTS				
1	16,0	70,0	15,4	58,8
2-4	60,0	10,0	61,5	29,4
5 ET PLUS	24,0	20,0	23,1	11,8
Moyenne	4,5 *	2,0	4,4 *	1,9
DURÉE MOYENNE DES PLACEMENTS (MOIS)	19,8	43,7	19,4	41,7
ENFANCE MALHEUREUSE	48,0n.s	31,9	49,4*	18,7
(CAUSES ENF. MALH.)				
-VICTIME DE VIOLENCE	38,7n.s	25,5	35,6*	15,4
-TÉMOIN DE VIOLENCE	14,7n.s	10,6	13,8*	6,5
PARENT AUTORITAIRE	80,8n.s	78,7	80,0n.s	76,2
-VIOLENCE PHYSIQUE	53,3*	29,8	51,7*	26,0
-VIOLENCE PSY/VERB.	78,7n.s	74,5	78,2n.s	73,2
-APPROCHE POSITIVE	17,3*	38,3	17,2*	49,6
MOINS DE 21 ANS A LA NAISSANCE DU PREMIER ENFANT	46,3*	14,6	45,9*	9,4

* P < .05 Au Test du CHI Carré ou à l'analyse de variance.

Les parents d'enfants maltraités se démarquent de même nettement des parents du groupe de comparaison quant aux antécédents de placements (tableau 2). Ils sont trois fois plus nombreux (42,9% comparativement à 15,4%) à avoir connu au moins un placement durant leur enfance. Ce rapport diminue du double, une fois contrôlée l'influence de la pauvreté actuelle des parents. Ils ont vécu en moyenne 4,4 placements comparativement à 1,9 pour les parents du groupe de comparaison. Ils ont connu plus d'un placement dans 85% des cas. La durée moyenne de ces placements est inférieure de moitié (19,4 mois) à celle des autres parents. D'autres analyses ont montré que ces placements étaient plus fréquemment faits dans des institutions que dans des milieux familiaux et qu'il n'existe pas d'écart notable entre les deux groupes (cas et témoin) quant à l'âge au moment du premier placement.

Une étude plus approfondie a montré une corrélation intéressante entre antécédents de violence et placements en dehors de la famille naturelle. Ainsi, 48,0% des parents maltraitants avec antécédents d'abus physique et/ou psychologique et 53,8% de ceux ayant des antécédents d'abus sexuel ont aussi connu des antécédents de placements (sans pouvoir déterminer si ces placements précèdent ou suivent les abus). Ces taux de placements sont respectivement de 29,4% et de 50,0% pour les parents du groupe de comparaison. D'ailleurs 90,0% des parents du groupe «cas» et 73,7% de ceux du groupe de comparaison qui ont connu au moins un placement, rapportent avoir été abusés physiquement, psychologiquement ou sexuellement par un membre de la famille d'accueil ou substitut.

A la question *«Considérez-vous avoir vécu une enfance heureuse?»*, 49,4% des cas et 18,7% des témoins ont répondu catégoriquement par la négative. La proportion des témoins pauvres rapportant une telle enfance malheureuse (31,9%) se rapproche toutefois de celle observée chez les parents maltraitants pauvres (48,9%). Invités à identifier les raisons qui les amènent à porter un tel jugement négatif sur leur enfance, les cas et les témoins ne diffèrent que très peu quant à six des catégories de raisons invoquées (par 10 à 30% d'entre eux), soit: avoir vécu dans la pauvreté, parents avec problèmes de santé mentale (dépression, tendances suicidaires, toxicomanie) ou problèmes de comportements (violence, criminalité), manque d'affection, manque de disponibilité des parents, conflit sévère avec l'un des parents et conflit avec les frères ou soeurs. Toutefois, les parents maltraitants invoquent plus fréquemment comme raisons le fait d'avoir été victimes de mauvais traitements ou le fait d'avoir été témoins de violences exercées contre leur mère ou leurs frères et soeurs.

A la question *«Vos parents étaient-ils autoritaires?»*, 80% des cas et 76% des témoins ont répondu par l'affirmative. Mais ici les groupes diffèrent quant *«aux manières dont votre père et/ou votre mère faisaient respecter leur autorité et la discipline»*. Le recours à la violence physique grave (coups de bâton, coups de pied, râclées) est rapporté par 51,7% des parents maltraitants comparativement à 26% des parents du groupe de comparaison. Par contre, l'expérience de formes de violence psychologique ou verbale (menaces, cris, chantage, critiques dévalorisantes, etc.) est rapportée aussi fréquemment comme outils disciplinaires par les deux groupes (trois parents sur quatre). Enfin, 49,6% des parents du groupe de comparaison mais seuls, 17,2% des parents maltraitants, rapportent que le père ou la mère utilisaient des approches positives (discussion, négociation, raisonnement) pour exercer leur autorité.

Notons que les antécédents de violence sont fortement corrélés avec plusieurs autres facteurs tributaires d'une enfance difficile. Des analyses ont montré que les parents, de l'un ou l'autre groupe, qui ont reconnu avoir été victimes d'abus physique/psychologique ont aussi, dans une forte proportion, été victimes d'abus sexuel (67%); ils ont rapporté avoir vécu une enfance malheureuse (74%) à cause de mauvais traitements (80%) et ont connu au moins un placement (63%). Il en va de même du jeune âge du parent à la naissance du premier enfant qui est fortement associé avec les antécédents de placement et d'abus physique ou psychologique. De fait, 71% des parents ayant eu un premier enfant avant 21 ans ont rapporté avoir été abusés physiquement ou psychologiquement.

DISCUSSION

Nos résultats tendent à confirmer le portrait fait du parent d'enfants maltraités. Les deux tiers d'entre eux ont vécu des abus physiques ou psychologiques durant leur enfance et 40% des mères maltraitantes ont été abusées sexuellement. Dans près de la moitié des cas, ils ont été abusés par plus d'une personne et ce, dans le cadre de la famille d'origine. L'hypothèse de la transmission intergénérationnelle de la violence se trouve, de plus, confirmée par le fait que les parents d'enfants maltraités rapportent significativement plus souvent que les parents non maltraitants avoir été victimes de violence durant leur enfance. Cette surexposition des parents maltraitants aux antécédents de violence demeure statistiquement significative même lorsque ces derniers sont comparés aux autres parents habitant le même quartier, ayant des enfants du même âge et vivant actuellement dans les mêmes conditions de pauvreté.

Toutefois, les antécédents de violence n'engendrent pas automatiquement la maltraitance. Même si 30% des parents du groupe de comparaison furent abusés physiquement ou psychologiquement et si 18% des mères non maltraitantes furent abusées sexuellement, ils (elles) n'en maltraitent pas leurs enfants pour autant. L'attention accordée par les chercheurs à l'hypothèse de la transmission intergénérationnelle de la maltraitance a malheureusement eu pour effet d'orienter les recherches vers l'identification des «facteurs de risques» ou facteurs «prédicteurs» de la maltraitance. Les réserves apportées ici à cette hypothèse devraient contribuer à réorienter les priorités de recherche sur les facteurs de «protection» qui inhibent la transmission de la violence. Une meilleure connaissance de ces facteurs de protection serait d'un intérêt plus direct pour l'élaboration de programmes de promotion des compétences parentales et environnementales.

Le recours à un groupe de comparaison met toutefois en évidence une autre réalité: que les antécédents de maltraitance sont fréquents même chez les parents non maltraitants. Nos résultats rejoignent ceux de Ethier et coll. (1991) quant aux prévalences d'antécédents d'abus physique, psychologique ou sexuel, mais aussi quant à la minceur des écarts qui démarquent les parents abuseurs d'autres parents appariés principalement en fonction du niveau de pauvreté. Ethier propose toutefois ailleurs (Ethier, 1992) qu'une des clefs de l'explication de ces écarts peu élevés observés entre les groupes de cas et de témoins tiendrait dans le fait que les mères maltraitantes ont été abusées plus fréquemment que les mères du groupe témoin. Nos résultats confirment aussi cette hypothèse.

Les antécédents de violence ne constituent pas des événements isolés. Ils s'inscrivent dans le cadre plus large d'un ensemble d'expériences vécues durant l'enfance qui ont profondément affecté la qualité des relations parents-enfant. Nos résultats montrent que les antécédents de placement, entre autres, démarquent aussi plus nettement les cas et les témoins que ne le font les antécédents de violence. Les conséquences de ces placements (p. ex.: bris des liens d'attachement entre l'enfant et les parents, perturbation de la relation affective sécurisante (Diorio, 1992)) tiennent probablement une place importante parmi les facteurs prédisposant à la maltraitance. De même, les parents d'enfants maltraités, y compris ceux qui n'ont pas rapporté avoir été «abusés» physiquement ou sexuellement durant l'enfance, semblent avoir été éduqués dans des familles où le respect de l'autorité parentale reposait sur le recours à la violence physique. Ils sont conséquemment plus nombreux à reconnaître avoir vécu une enfance malheureuse et à avoir été témoins de violence familiale, deux autres facteurs prédisposants corrélés avec le vécu d'antécédents de violence.

Le recours à un groupe de comparaison de même que la prise en compte de certaines variables confondantes (antécédents de placement, enfance malheureuse, expérience d'autorité parentale abusive) ne peuvent faire oublier certaines faiblesses méthodologiques liées à une étude rétrospective (ex: antécédents de violence et de placement autorapportés). Malgré leurs limites, les résultats suggèrent deux conclusions:

1) Le fait de vérifier l'hypothèse de la transmission intergénérationnelle de la violence à partir de simples mesures de corrélation entre antécédents de violence et maltraitance envers ses propres enfants ne peut qu'occulter l'influence de divers autres facteurs. Cette corrélation devrait être modulée selon la nature et l'intensité de la violence subie durant l'enfance, la nature et l'intensité de la violence que le parent fait subir à ses enfants, le lien avec l'abuseur (père, mère, famille d'accueil, parent éloigné, etc.), l'âge du parent au moment de ces antécédents, etc.. La relation entre antécédents de violence et maltraitance de ses propres enfants n'en est certainement pas une de causalité simple et directe.

2) Les antécédents de violence représentent moins une «cause» de la maltraitance que des marqueurs ou révélateurs d'un ensemble de facteurs confondants: antécédents de placement, séquelles psychologiques d'une coupure du lien parent-enfant, apprentissage du recours à la discipline physique pour faire respecter l'autorité parentale, socialisation dans un environnement familial violent. La recherche devrait se préoccuper davantage de ces conséquences directes des mauvais traitements sur les rapports qu'entretiendront ces futurs parents avec leurs propres enfants.

Les antécédents de violence ne constituent que l'une des composantes d'une enfance marquée par la misère économique et psychologique, et ne sont que l'un des événements parmi une constellation de facteurs et d'événements ayant conditionné le devenir du futur parent. Ces facteurs médiatisent le «cycle de la violence» (Milner et Chilamkurti, 1991:348). La transmission intergénérationnelle de la violence masque la transmission intergénérationelle de la misère. Nous avons défendu ailleurs (Massé et Bastien, à paraître) que ce qui se transmet, c'est probablement moins la violence que les conditions de sa reproduction. Les recherches futures devront passer d'une analyse fondée sur la causalité simple et directe à une étude écologique de la genèse de la maltraitance.

CONCLUSION

Les données ne soutiennent que très partiellement l'hypothèse voulant que l'enfant abusé deviendra un parent abuseur. La culpabilisation de l'abuseur-victime sous-jacente à plusieurs recherches détourne notre attention de questions plus fondamentales. Kaufman et Zigler (1987) concluaient que l'enjeu de la recherche n'est plus de savoir *«si les enfants maltraités deviendront des parents maltraitants»*, mais bien *«quelles sont les conditions qui favorisent cette transmission intergénérationnelle?»*.

Nous croyons, en ce sens, qu'il faille réorienter nos efforts pour répondre à des questions plus pertinentes pour la prévention, soit: 1) Quels sont les facteurs de risque (ex: antécédents de violence ou de placement, traits de personnalité, misère économique) qui médiatisent la relation causale complexe entre antécédents de violence et maltraitance? et 2) Quels sont les facteurs de protection (prédispositions psychologiques, conditions environnementales, expériences) qui permettent aux parents ayant des antécédents d'abus et de négligence de briser ce cercle vicieux de la maltraitance?❖

The hypothesis of intergenerational transmission of maltreatment has too often assumed a direct causality between antecedents of violence and the abuse or neglect by the parents of their own children. While presenting the results of an empirical study with a control group to test the «poverty» factor, the author points out that maltreating parents have more often been exposed to violence in their previous history than the control group. The dividing line is however relatively weak when maltreating parents are compared to control that are living at the same level of poverty.

Références

Carlson BE. Emotionally disturbed children's beliefs about punishment. **Child Abuse Negl** 1991;13:19-28.

Diorio G. Les enfants victimes de maltraitance: une étude clinique. **P.R.I.S.M.E.** 1992;3:32-39.

Garbarino J, Gilliam G. **Understanding abusive families**. Lexington, MA: Lexington Books, 1980.

Kaufman J, Zigler E. Do abused children become abusive parents? **Am J Orthopsychiatry** 1987;57:186-192.

Massé R. Evaluation critique de la recherche sur l'étiologie de la violence envers les enfants. **Santé Ment Qué** 1990a;15(2):107-129.

Massé R. **Pauvreté, isolement social et violence envers les enfants: une étude cas-témoin**. [Protocole de recherche soumis au CRSSSMM] Verdun: DSC de Verdun, 1990b.

Massé R, Bastien MF. **Espace de pauvreté et misère humaine: pour une contextualisation de la misère psychologique des parents maltraitants**. [A paraître].

Smetana JG, Kelly M, Twentyman CT. Abused, neglected and nonmaltreated children's conception of moral and social-conventional transgressions. **Child Dev** 1984;55:277-287.

Steele B, Pollack C. A psychiatric study of parents who abuse infants and small children. In: Helfer RE, Kempe CH. (Eds). **The battered child.** Chicago: Chicago University Press, 1968.

Strauss MA. Discipline and deviance: physical punishment of children and violence and other crime in adulthood. **Soc Problems** 1991;38(2):133-154.

Widom CS. Does violence beget violence? a critical examination of the literature. **Psychol Bull** 1989a;106:3-28.

Widom CS. Child abuse, neglect and adult behavior: research design and findings on criminality, violence and child abuse. **Am J Orthopsychiatry** 1989b;59(3):355-367.

Leduc, «Rupture, répétition, réparation», 1994

Rupture, Répétition, Réparation

Enjeux thérapeutiques du placement

responsable de rédaction: Louise Baillargeon

Introduction

«Un petit garçon qui s'appelle Patrick dit: «Il sort du ventre de sa maman. Il est un désastre. Il a quasiment noyé sa soeur... Il a été dans un centre d'accueil, dans un autre, dans une famille d'accueil, dans une autre. Là, il va aller dans une autre famille d'accueil...»

Propos d'un enfant en thérapie[1]

Louise BAILLARGEON

Mme BAILLARGEON a été conseillère clinique et elle était récemment nommée coordonnatrice du secteur des services de réadaptation à l'Association des Centres jeunesse du Québec.

Décembre 93: parution dans P.R.I.S.M.E. de la première tranche du dossier sur le placement des jeunes enfants. Août 94: voici maintenant le second volet de ce dossier.

A peine quelques mois se sont écoulés entre ces deux parutions et pourtant, on a l'impression d'un long laps de temps, tellement les changements survenus dans le réseau ont été rapides, intenses et profonds. Une question surgit: ce numéro et ce qu'on y dit du placement des petits, serait-il anachronique, déjà dépassé?

L'ampleur de la réforme, tant au plan de la restructuration des services que des impacts majeurs entraînés sur les pratiques, sans parler de ses répercussions sur le personnel, est incontestable. Dans l'état actuel de la situation où tout n'est pas finalisé ni encore vraiment expérimenté, il s'avère pratiquement impossible d'analyser en profondeur, de commenter et de discuter sous différents angles ces changements et leurs effets; cependant, une réflexion sur ces enjeux bien d'actualité vous est ici offerte.

D'autre part, et malgré les bouleversements que connaît notre milieu, nous avons choisi de consacrer ce numéro à un essentiel qui, lui, demeure, indépendamment des structures, des modèles et des théories, i.e. la douleur profonde vécue par les petits lors de séparations d'avec leurs familles et de placements familiaux ou institutionnels. On y traite de ces situations et de leurs conséquences sur l'enfant et son développement, tout en tâchant de mettre en lumière la problématique de la répétition transgénérationnelle qui représente bien souvent un des pires écueils aux efforts thérapeutiques et au travail de réadaptation fournis auprès de ces familles et de ces jeunes.

Pour conclure, rappelons-nous que malgré les changements en cours, la nécessité première est toujours celle de préserver l'espoir. Cela est vrai pour les petits et leurs familles, mais ce l'est aussi pour les intervenants, car c'est par eux d'abord que passe l'espoir.

Le dossier sur le placement arrive maintenant à son terme cependant que la réalité du réseau continuera, elle, d'évoluer. P.R.I.S.M.E. vous invite donc à poursuivre cette réflexion amorcée en lui faisant parvenir vos écrits, vos observations, vos questionnements. Cette démarche permanente est nécessaire pour susciter des changements réels et de qualité.

Nous terminons en vous remerciant, lecteurs, auteurs et artisans associés à cette production, et en espérant que les propos élaborés dans ce dossier auront contribué à enrichir vos pensées et vos pratiques.❑

---

1 Michelle St-Antoine. La souffrance de l'enfant placé: à la recherche de l'objet perdu, page 262.

P.R.I.S.M.E. été 1994, vol. 4, nos 2-3

LA SOUFFRANCE DE L'ENFANT PLACÉ: À LA RECHERCHE DE L'OBJET PERDU

Michelle ST-ANTOINE

Michelle ST-ANTOINE est psychologue clinicienne à l'emploi des Centres Jeunesse de Montréal (Centre Dominique-Savio-Mainbourg) depuis 15 ans. Elle s'intéresse tout particulièrment à la petite enfance. Elle exerce aussi en pratique privée.

Les réflexions présentées dans cet article sont le fruit d'observations, de consultations et de thérapies réalisées depuis plus d'une dizaine d'années auprès de jeunes enfants placés en centre de réadaptation, de même que de consultations menées auprès d'intervenants qui, jour après jour, doivent recevoir, contenir et donner un sens à la souffrance et à l'angoisse que ces enfants déposent en eux.

Revue de littérature

Les premières études faisant état des réactions et de la souffrance de jeunes enfants séparés de leur mère remontent à l'époque de la Deuxième Guerre mondiale. En effet, c'est en 1938 que Spitz (voir Rapaport, 1981) décrit les effets de la carence de soins maternels chez de jeunes enfants, travaux largement diffusés en France à partir de 1948 et qui sensibilisent aux effets des séparations tous ceux qui travaillent auprès d'enfants séparés de leurs mères. Spitz introduit le terme d'*«hospitalisme»* pour décrire l'état de passivité, de marasme et d'apathie qui s'installe chez l'enfant séparé de sa mère durant une longue période (plus de 5 mois). Les observations de Spitz (1958) l'amènent également à associer les comportements pleurnicheurs, l'insomnie et le retrait de l'enfant à une

L'auteure désire remercier les équipes du «Carrousel» et de l'«Entre-Deux», du centre de réadaptation Dominique-Savio-Mainbourg, pour avoir partagé avec elle leurs observations et réflexions sur les réactions à la séparation des enfants placés dans leur service.

L'auteure traite de la souffrance que constitue pour l'enfant placé la séparation d'avec la figure maternelle. Les facteurs identifiés par les recherches comme pouvant influencer les réactions de l'enfant à la séparation sont interprétés en fonction de la constitution de l'objet sur la scène interne. Des exemples cliniques illustrent tant les tentatives de l'enfant pour conserver l'image de la mère sur la scène interne que celles mises en oeuvre pour en dénier la perte. Quelques implications pour la pratique du placement sont identifiées.

forme de dépression qu'il désigne sous le nom d'*«anaclitique»*, laquelle s'installerait habituellement chez l'enfant privé de soins maternels pendant une période inférieure à 5 mois.

Les études rétrospectives de Goldfarb (1945) et de Bowlby (1945), ainsi que celles de Burlingham et Freud (1942, 1944) basées sur l'observation directe de nourrissons et de jeunes enfants accueillis par elles durant la guerre, mettent également en évidence les graves effets des séparations et des carences maternelles précoces. Tout en décrivant les états d'angoisse, de désespoir et de détachement qui se succèdent chez l'enfant séparé de sa mère pendant une trop longue période, Burlingham et Freud soulignent que les répercussions de la carence de soins maternels diminuent au fur et à mesure que l'enfant avance en âge.

Bowlby (1951), dans sa monographie *Soins maternels et santé mentale*, insiste sur les conséquences graves des séparations et carences précoces chez l'enfant, et ce, après une recension des écrits antérieurs à ce sujet. Dans ses conclusions, il souligne l'importance d'entreprendre d'autres études afin de permettre, notamment, de préciser et différencier les concepts de *«séparation»* et de *«carence»*. C'est dans cette perspective que s'inscrivent James et Joyce Robertson (1967, 1968, 1971, 1973, voir David 1989) qui ont étudié les réactions d'enfants sains à la séparation. Pour ce faire, ils observent successivement quatre enfants âgés de 1 à $2^{1}/_{2}$ ans (à un âge où l'objet interne est donc normalement constitué), n'ayant pas vécu de séparations antérieures, ni de carence de soins maternels, lors d'une séparation de courte durée (10 jours à 1 mois) et alors qu'un substitut maternel adéquat leur est proposé. Une familiarisation préalable de l'enfant avec son nouveau milieu ainsi qu'avec la personne appelée à jouer le rôle de substitut maternel est prévue afin de minimiser l'impact de l'angoisse de l'étranger.

Les résultats de leurs études démontrent que des manifestations de détresse sont présentes chez les enfants observés, tout en s'avérant différentes de celles décrites par Bowlby (1951), mais que les conséquences d'une séparation dans ces conditions apparaissent beaucoup moins graves que celles soulignées dans les études antérieures. La série d'observations des

Robertson ne fait que rapporter ce que plusieurs autres études confirmeront par la suite, à savoir que les réactions de l'enfant à la séparation ainsi que les effets à long terme de cette séparation sur son développement dépendent de fait d'un grand nombre de facteurs.

L'âge de l'enfant au moment de la séparation est un des facteurs très tôt mis en évidence comme influençant la réaction de l'enfant à la séparation. Aubry observe, dès 1955, que les enfants âgés de moins de 6 mois ne réagissent pas à la séparation avec la même détresse que ceux de 6 à 12 mois. Les travaux qu'il réalise à partir de l'observation directe d'enfants amènent Spitz (1958) à situer la période cruciale pour l'établissement de relations objectales au deuxième semestre de la première année de vie. Avant cette période, les enfants observés par Spitz réagissent peu à la séparation d'avec la figure maternelle. C'est vers l'âge de 9 mois que Spitz a pu observer de véritables réactions lorsque la mère disparaît. Ainsworth (1961) pour sa part, soutient que la séparation d'avec la figure maternelle s'avère particulièrement difficile pour l'enfant, à partir du moment où il est assez âgé pour différencier sa mère des autres personnes mais sans pour autant avoir atteint l'âge où il conserverait cet attachement tout en étant éloigné d'elle.

En plus de reconnaître l'âge comme facteur déterminant quant à la réaction de l'enfant à la séparation, Ainsworth (1961) souligne que les distorsions préalables du lien à l'image maternelle, la durée de la séparation ainsi que la présence d'un substitut adéquat jouent aussi un rôle dans la capacité de l'enfant à faire face à la séparation. Kline et Overstreet (1972) observent, pour leur part, que les conditions dans lesquelles se produit la séparation, le type de préparation de l'enfant au placement ainsi que la possibilité pour celui-ci de maintenir des contacts avec ses parents pendant le temps où il est séparé d'eux s'ajoutent aux facteurs préalablement cités et influencent les réactions de l'enfant à la séparation. Plusieurs études (Trasler, 1960; Littner, 1975; Fanshel et Shinon, 1978; Horejsi, 1979) confirment l'importance que revêt pour l'enfant le fait de garder un lien avec ses parents durant son placement. Plus récemment, Steinhauer (1991), après une revue de plusieurs recherches traitant des effets de la séparation et du placement, retient comme variables déterminant la réaction à la séparation les suivantes: l'âge, la relation mère/enfant préalablement établie, le tempérament de l'enfant, les expériences précédentes de séparation, la durée de la séparation, les effets de l'environnement étranger ainsi que les conditions de placement de l'enfant.

Séparation et constitution de l'objet interne

Pour comprendre en quoi, au moment de la séparation, l'âge, la relation mère/enfant préalablement établie, les expériences de séparation, la durée de la séparation, les conditions de séparation (continuité ou non des liens avec les parents ou la famille) peuvent influencer les réactions de l'enfant à la séparation, il importe d'étudier la séparation en relation avec la constitution de l'objet interne chez l'enfant.

C'est à travers la théorie élaborée par Winnicott (1978) que nous exposerons brièvement comment se forme l'objet interne chez l'enfant. Selon Winnicott, le nourrisson doit être considéré comme un être immature, constamment au bord d'une angoisse inimaginable (se morceler, ne pas cesser de tomber, ne pas avoir de relation avec son corps, ne pas avoir d'orientation), laquelle angoisse est tenue à l'écart grâce à l'existence d'une mère capable de s'identifier à son enfant, et donc, de lui donner les soins et la protection qu'il nécessite à ce stade. Ces soins maternels permettent à l'enfant d'établir peu à peu une continuité d'être. Au début, la mère *«suffisamment bonne»* s'adapte presque parfaitement aux besoins du nourrisson pour peu à peu abandonner cette identification à l'enfant, à mesure que celui-ci commence à se différencier d'elle et à expérimenter le sentiment de sa propre existence. A ce moment, le nourrisson commence à se représenter l'objet maternel et peut supporter d'en être privé temporairement. L'enfant arrive alors à conserver vivante l'image de sa mère dans son monde interne.

A la fin de la première année de vie, l'enfant qui joue à jeter les objets par terre témoigne ainsi, selon Winnicott (1969) d'une capacité croissante à maîtriser la perte. Cependant, pour continuer à élaborer l'objet interne, à pouvoir vivre son absence comme une présence, l'enfant doit avoir encore largement sa mère à sa disposition. Selon Lebovici (1961), la fin de la première année constitue un moment critique pour la séparation mère/enfant parce qu'à ce moment, l'enfant reconnaît sa mère comme différente de lui, tout en étant incapable de conserver longtemps son image sur la scène interne. Comme l'observe pertinemment David (1989), les enfants restent cependant vulnérables à la séparation pendant toute la période où s'élabore et se constitue la relation d'objet et tant que l'intériorisation des images parentales n'est pas assurée de façon stable. Selon les observations recueillies par Bowlby (1978), cette période s'étendrait à peu près jusqu'à la troisième année de vie, ce qui correspond à la fin de la quatrième et dernière sous-phase du processus de séparation-individuation décrit par Mahler (1977).

La vulnérabilité à la séparation persiste cependant bien au-delà de la troisième année de vie chez les enfants qui, en raison de brisures répétées des liens, de défaillances parentales, de traumatismes ou encore de facteurs intrinsèques à leur personnalité, n'ont pas réussi à établir une représentation de l'objet sur la scène interne et qui en sont encore à se débattre avec des problématiques qui relèvent de la symbiose ou encore de la séparation-individuation.

Dès lors, il nous est permis d'appréhender comment la séparation peut être vécue par de jeunes enfants placés en centre de réadaptation. Tout comme Myriam David (1989), nous constatons que ces enfants présentent très souvent d'importantes perturbations du lien à l'image maternelle[1], ce qui, à notre avis, a notamment pour effets d'entraver le travail de représentation de l'objet sur la scène interne, de même que la capacité de conserver un bon objet (sujet que nous élaborerons plus loin). Or, lorsque l'enfant placé est séparé de sa mère, ce n'est pas seulement de la perte de la mère réelle dont il souffre, mais également de celle de la mère interne qu'il doit lutter, jour après jour, pour garder vivante malgré son absence dans la réalité. L'échec à garder cette image vivante amène l'enfant, qui se trouve souvent dans une relation plus ou moins différenciée à l'objet, à se perdre lui-même, sombrant alors dans un sentiment de non-existence, dans une sorte de détachement apparent. Les intervenants parlent alors de ces enfants comme de petits 'zombis', de petits fantômes qu'ils n'arrivent pas à saisir, à toucher. Ces enfants dévitalisés disparaissent souvent dans le groupe et en viennent à s'adapter en surface à ce qu'on exige d'eux. L'angoisse que peut ressentir un enfant, séparé brusquement de ses parents et luttant pour ne pas se perdre lui-même, est bien illustrée par le discours pathétique de cette fillette de 5 ans: *«Maman, papa, je les ai perdus, j'ai pas demandé, j'ai pas d'amis, juste deux, j'ai même pas pleuré, j'ai pas d'amis, je m'appelle plus, j'ai pas mangé... ( ) y vient, y vient pas, des fois se souvient de moi, j'ai même pas demandé mon père et ma mère, j'ai même pas trouvé ma mère...»*.

A la recherche de l'objet perdu

Tous les efforts de l'enfant qui vient d'être séparé de sa mère semblent tendre à la récupérer. Tel qu'observé par Bowlby (1984), l'enfant, dans les premiers moments de séparation, se tourne en direction de tout bruit ou mouvement qui pourrait s'avérer être la mère manquante. Selon nos observations, l'enfant nouvellement placé accueille douloureusement toutes les occasions qui, dans la vie quotidienne, lui rappellent avec intensité l'absence de sa mère (soins corporels, heures des repas, coucher). Chez les enfants plus jeunes qui, pour quelques instants, oublient qu'ils sont maternés par une personne étrangère, la vue du visage de l'intervenant déclenche souvent une nouvelle montée d'angoisse et de détresse. Le téléphone qui sonne, les visites des autres parents éveillent brièvement l'espoir de retrouver le parent perdu et creuse la douleur de la perte.

Devant l'évidence de la perte du parent réel, nous observons chez l'enfant des tentatives pour le garder vivant sur la scène interne. Les litanies si fréquentes *«maman, maman»* ne semblent pas tant un appel à l'objet réel qu'un effort pour ne pas en perdre l'image. Le pouvoir évocateur des mots pour conserver l'image de l'objet a été expérimenté par les intervenants d'une unité recevant des enfants de 0 à 5 ans, qui ont observé que le fait de parler aux enfants de leur mère provoque une recrudescence de l'émotion sur le coup, mais semble apporter un soulagement de l'angoisse par la suite.

A part les mots, il se trouve peu de choses pour évoquer l'objet perdu. Les enfants placés en centre de réadaptation arrivent souvent sans objets personnels, sans photos qui puissent rappeler l'être aimé à leur souvenir. Et si l'enfant apporte avec lui un objet (petit animal en peluche ou autre), on s'aperçoit rapidement que cet objet ne possède pas pour lui de valeur *«transitionnelle»* (au sens de Winnicott). Selon Winnicott (1969), l'apparition de l'objet transitionnel est liée à l'existence d'un objet interne vivant, réel et suffisamment bon chez l'enfant. Ceci explique la difficulté chez les enfants que nous recevons à utiliser un objet transitionnel pour se sécuriser en l'absence de leur mère.

Les stratégies qu'adoptent les enfants pour conserver vivante l'image de leur mère sur la scène interne sont variées. Robertson (1953; voir Bowlby, 1984) rapporte le cas du petit Philip (13 mois) qui, dans des moments de frustration, mime les mouvements qui accompagnent habituellement la comptine que sa mère chante pour lui à la maison lorsqu'il s'énerve. Anna Freud et Dorothy Burlingham (1949) rapportent le cas d'un petit garçon de 3 ans qui, suite à la séparation d'avec sa mère, raconte une histoire où sa mère vient le chercher pour le ramener à la maison. Avec le temps, il rajoute sans cesse des pièces de vêtements à ceux que sa mère lui mettra lorsqu'elle viendra le chercher. Lorsqu'il lui est demandé de cesser cette répétition incessante, il continue de répéter du bout des lèvres pour lui-même, en même temps qu'il substitue peu à peu aux mots des gestes qui miment une mère imaginaire en train de l'habiller.

Un troisième exemple, tiré de notre pratique, concerne un enfant qui s'avère encore pris dans une relation symbiotique à l'image maternelle. Pour ces enfants, vivant dans une indifférenciation soi/non-soi qui ne permet pas la représentation sur la scène interne, la séparation apparaît souvent vécue comme un déchirement, une mutilation. Selon nos observations, plusieurs de ces enfants parviennent à faire face à la séparation et y survivre en incorporant l'image maternelle. Contrairement aux exemples cités précédemment, il ne s'agit plus pour eux de garder vivante la représentation de la mère, mais bien *«d'être»* la mère.

Ceci est le cas de Guillaume que nous rencontrons pour la première fois, alors qu'il est âgé de 4 ans. Les intervenants travaillant auprès de lui s'inquiètent de ses manières très efféminées, de son désir de s'habiller en fille, de son intérêt pour le maquillage, les bijoux et surtout les souliers à talons hauts. Le discours de Guillaume est, selon eux, caricaturalement féminin. De plus, le petit garçon affiche ouvertement son désir de se faire couper le pénis. Lors des entretiens avec Guillaume, il devient évident que cet enfant, aux prises avec des angoisses de morcellement et d'annihilation intenses, nie toute différenciation d'avec l'image maternelle, en la prenant totalement en lui. D'ailleurs, il parle de lui en se nommant parfois Guillaume/Lise (prénom de sa mère), tout comme, lors des jeux, il incarnera un personnage nommé Guillaume-Michelle (notre prénom). Un long travail portant sur la différenciation soi/non-soi lui permettra après deux ans de thérapie de parvenir à appréhender notre existence en dehors de lui. Lui qui jamais n'avait réagi auparavant à la séparation, s'effondrera littéralement en sanglotant devant notre porte fermée, à l'occasion d'un retard imprévisible de notre part.

Absence de recherche de l'objet perdu et «mort de l'objet interne»

Une grande partie des jeunes enfants placés chez nous en centre de réadaptation ne présentent que peu ou pas de réactions à la séparation. Nos observations concordent avec celles de Myriam David (1989) qui, à la suite d'une longue expérience de placement familial en France, a constaté que les enfants de 12 à 30 mois ayant souffert de carences antérieures ne présentaient pas les signes manifestes de détresse décrits par Bowlby et ses collaborateurs. Elle note plutôt chez ces enfants une forme d'indifférence. En effet, ces enfants ne se montrent pas affectés par la perte de l'objet, ils semblent endurcis. Jonathan (7 ans) se représente lors d'un jeu sous les traits d'un gars *«blindé»*. Lorsque nous lui demandons ce que signifie *«blindé»* pour lui, il explique *«quand personne ne peut te faire mal»*.

En fait, ces enfants réagissent souvent comme si l'objet était déjà mort. Dans les jeux de plusieurs d'entre eux, on peut d'ailleurs observer diverses mises en scène tournant autour de la mort de l'image maternelle. Certains prétendent même que leur mère est morte dans la réalité. Il semble qu'il s'agisse ici d'une défense visant à atténuer la douleur de la perte et non d'une incapacité à garder vivant l'objet sur la scène interne. Comme nous confiait récemment un jeune adolescent ayant vécu plusieurs placements: *«Ce serait plus facile pour moi de penser que mes parents sont morts que de les avoir connus, de savoir qu'ils sont encore vivants et qu'ils m'ont abandonné»*.

Lorsque, dans le contexte d'une évaluation, à la suite d'un jeu de l'enfant évoquant l'image maternelle, nous parlons avec Laurent (4 ans) du retour de sa mère dans sa vie après une longue absence (plus d'un an), il s'écrie, complètement désemparé: *«Tu es morte, tu n'es plus rien, tu vas rester morte»*. La douleur réactivée chez cet enfant par le retour d'une mère qui l'avait laissé sans nouvelles et qu'il avait tenté de garder dans l'oubli afin de ne plus souffrir, s'avère insoutenable. Les zones d'oubli créées par ces enfants pour éviter la souffrance semblent contribuer à accentuer l'impression de discontinuité qui se dégage de leur vie. Ceci est illustré par l'exemple de Simon (5 ans) qui nous demande toujours de fermer les yeux lorsqu'il prépare un jeu, de telle sorte que les choses apparaissent et disparaissent sans que nous puissions l'appréhender, «comme par magie», de la même façon, pensons-nous, qu'il semble avoir vécu la présence et l'absence des figures parentales dans sa propre vie.

Chez ces enfants qui réagissent manifestement peu à la séparation, nous observons souvent des tentatives désespérées de contrôle sur l'objet. Tout semble se passer comme s'ils se devaient d'imaginer l'autre comme faisant partie d'eux-mêmes, parce que le fait d'appréhender l'existence séparée de l'objet les confronte à l'angoisse intolérable d'une perte possible. En s'imaginant collés à l'autre, fusionnés à lui, ils semblent faire l'économie de l'angoisse de séparation. D'ailleurs, on note que face à une perte, ces enfants refusionnent souvent immédiatement avec un nouvel objet. Ainsi, à l'annonce de nos vacances, Jonathan (7 ans) demande aussitôt: *«Qui te remplace?»* Par la suite, ce même enfant broche des feuilles ensemble et déclare: *«Faut pas les perdre, faut pas qu'elles tombent»*. De la même façon, Pierre (6 ans) donne la réponse suivante au Rorschach: *«Un oiseau* collé sur *un arbre». Il reste toujours là. C'est sa maison pour toujours. Il reste toujours sur son beau arbre»*. Ce même enfant illustre par un dessin son besoin de contrôler la relation afin d'éviter la souffrance. Il trace un château et explique que pour y pénétrer, il faut actionner un pont-levis, soit un pouvoir qui n'est détenu que par la personne qui réside à l'intérieur de ce château. N'entre pas qui veut dans la vie de ces enfants écorchés par de trop nombreuses ruptures. A l'instar de la psychologue, plusieurs familles d'accueil recevront ce message et se heurteront, après une période d'idylle relative, à des portes fermées et même souvent cadenassées.

L'objet perdu: la destruction de l'objet

S'inspirant de la théorie kleinienne, Winnicott (1969) souligne avec justesse dans un texte sur la tendance antisociale que l'incapacité à conserver vivant l'objet sur la scène interne peut être due à des facteurs maturatifs, mais qu'il ne faut pas négliger l'importance de la mort de l'objet intériorisé causée par la colère de l'enfant, c'est-à-dire par le contact des bons objets avec les produits de la haine dans le psychisme.

Dans *Essais de psychanalyse*, Mélanie Klein (1968) explique que la réaction dépressive de l'enfant à la perte n'est pas seulement provoquée par son inaptitude à maintenir une image intérieure de la mère (ou du sein) en son absence, mais plus profondément encore, par son incapacité relative à maintenir avec elle, quand elle s'éloigne, un lien qui lui permet de la reconnaître quand elle revient. Selon Klein, ce lien est activement détruit par l'agressivité suscitée chez l'enfant par la privation, génératrice de la peur du talion qui l'amène à se méfier et à se détourner de l'objet: pour l'enfant dominé par les angoisses paranoïdes, la mère absente ne disparaît pas, elle devient une mauvaise mère. Lorsqu'elle revient, elle risque donc d'être perçue comme une persécutrice qui attaque l'enfant. Le désespoir dépressif ne provient donc pas tant, selon Klein, de la disparition de l'objet, que de sa mise en morceaux dans les fantasmes de l'enfant. Suite à la perte de l'objet, l'enfant en colère a donc l'impression que ses mauvais objets internes prédominent. La théorie kleinienne permet de comprendre, en faisant référence aux représentations internes de l'enfant, ce que beaucoup d'auteurs (Palardy, 1981; David, 1989; Steinhauer, 1991) ont décrit comme le sentiment chez l'enfant placé d'avoir provoqué le rejet de ses parents par sa méchanceté.

Nos observations confirment que beaucoup d'enfants placés semblent entretenir le fantasme d'avoir détruit l'image maternelle par leur colère et leur méchanceté. François (8 ans) construit un scénario où un personnage met le feu à une maison, provoquant ainsi la mort de sa mère. Ce même enfant nous fait part de craintes que sa mère ne soit morte d'un cancer ou d'un accident. Chez certains enfants, on peut voir directement à l'oeuvre les fantasmes d'attaques contre le corps de la mère. Eric (3 1/2 ans) déclare lors d'un jeu de marionnettes: *«Le monstre a faim, a de grosses dents... comme un monstre. Va faire un trou dans le crayon pour vrai... Quand est petit bébé, a fait des trous dans ma maman. Moi était un monstre quand petit bébé...»*. Patrick (9 ans) associe une marionnette à une *«grosse maman pleine de vomi»*. Au Rorschach, il donne l'image suivante: *«Un cancer on dirait, y creuse, y creuse, va tout chercher dans le sein ou l'utérus. Y creuse le sang ou le cerveau. Ma mère l'a eu...»* Finalement, à la carte 16 du T.A.T., Patrick raconte une histoire où le fantasme d'avoir été placé en raison d'une hostilité dangereuse pour ses objets apparaît clairement: *«Un petit garçon qui s'appelle Patrick. Il sort du ventre de sa maman. Il est un désastre. Il a quasiment noyé sa soeur... Il a été dans un centre d'accueil, dans un autre, dans une famille d'accueil, dans une autre. Là il va aller dans une autre famille d'accueil...»*. Sébastien (8 ans) déclare, à l'instar de beaucoup d'autres enfants: *«...j'ai de la misère à me contrôler, ma mère était malade à cause de moi, je l'ai rendue encore plus malade»*.

Selon Mélanie Klein (1968), c'est la possibilité de réparation qui permet d'apaiser les objets attaqués et de les rétablir dans leur état initial de bonté, permettant ainsi leur ré-introjection sous forme de bons objets. Or, ce qui nous frappe souvent chez les enfants placés en centre d'accueil, c'est leur impression de ne pouvoir réparer les effets de leur destructivité. Ainsi François (8 ans) raconte au C.A.T. l'histoire d'un lapin qui rêve que ses parents sont morts empoisonnés. Un petit garçon essaie de les guérir. François ajoute: *«A pas réussi, c'est pas vrai, ça reste un cauchemar»*. Le petit Eric (3 1/2 ans) dont nous parlions plus haut raconte en entrevue qu'il a cassé beaucoup de choses lorsqu'il était petit. Il fait allusion à une vitre cassée et il demande si une brocheuse pourrait réparer le tout.

En l'absence de possibilité de réparation et de bonnes expériences satisfaisantes qui leur permettraient de démentir leurs fantasmes paranoïdes, beaucoup d'enfants placés en centre de réadaptation vivent dans l'angoisse de subir des représailles de la part des objets qu'ils ont l'impression d'avoir attaqués (peur du talion). Ainsi, François (9 ans) raconte l'histoire suivante: *«Le lion, y pense attraper la petite souris et la mettre dehors... il ne la veut plus, car elle mange tout le fromage... il va la donner à un autre et là, elle va se faire manger par le chat»*. Stéphane (9 ans) dessine pour sa part de mauvais aigles qui s'attaquent à de petits oiseaux et qui sont ensuite détruits par un avion qui lance des bombes. Au T.A.T., ce même enfant raconte l'histoire de petits garçons qui sont tués et même éventrés parce qu'ils sont méchants et ont désobéi à l'adulte.

Implications pour la pratique du placement

Le placement d'un enfant constitue pour lui (et pour ses parents) une expérience très souffrante. Ceci met en évidence l'importance de se doter de balises claires quant à la décision de placer afin que cette décision ne soit jamais prise impulsivement dans un moment de panique éprouvée par un intervenant. A cet effet, David (1989) et Steinhauer (1991) ont récemment bien documenté les critères qui justifient la décision de placement.

Lorsque le placement s'avère inévitable, des conditions peuvent être aménagées afin de minimiser la souffrance de l'enfant, et ce, en tenant compte de l'importance pour lui de garder vivantes en lui les images parentales tout en bénéficiant d'un milieu de vie qu'il peut appréhender comme un peu *«familier»*, en raison d'une préparation adéquate. Ceci implique que des efforts particuliers doivent être déployés afin d'améliorer les conditions de préparation et d'accueil de l'enfant en considérant les éléments suivants:

• éviter le placement en urgence, qui ne permet pas d'envisager d'autres solutions et de préparer l'enfant à la séparation, et qui souvent oblige l'enfant à intégrer un nouveau milieu de vie de façon temporaire, ce qui le contraint à vivre une nouvelle rupture de lien à court terme;

• prendre le temps de préparer le placement avec l'enfant et ses parents. Cette préparation permet de recueillir des informations sur l'histoire de l'enfant, ses habitudes quotidiennes, tout en favorisant l'intégration progressive de l'enfant dans son nouveau milieu et son apprivoisement graduel aux personnes qui s'occuperont de lui. Une ou plusieurs visites de l'enfant avec ses parents dans le nouveau milieu de vie permettront à l'enfant d'associer ce dernier aux figures parentales, le rendant de ce fait davantage familier, *«mamaïsé»*, selon l'expression créée par Françoise Dolto. De plus, l'enfant n'aura pas à vivre la crainte (fréquente chez les enfants placés en urgence) que ses parents ne le retrouvent pas;

• permettre à l'enfant d'apporter des objets, des vêtements, des photos, et surtout l'objet qui revêt pour lui une valeur transitionnelle (s'il en pos sède un) qui faciliteront la transition entre ses milieux de vie et l'établissement d'une certaine continuité entre eux;

• faciliter le contact entre l'enfant et ses parents, dans le plus bref délai, suite au placement. En effet, les difficultés des enfants à garder l'image des parents sur la scène interne exigent qu'ils puissent bénéficier de contacts réels afin de conserver leur lien à l'objet. Il s'avère souvent nécessaire que l'intervenant communique lui-même avec le parent qui tarde à le faire. Alors qu'on interprète facilement l'absence de téléphones ou de visites comme un abandon ou une preuve de désintérêt de la part du parent, il arrive souvent que la honte, le sentiment d'être un *«mauvais parent»*, la peur de faire face à la souffrance ou à la colère de leur enfant amènent les parents à retarder le premier contact avec leur enfant;

• retracer le père apparemment absent de la vie de l'enfant (souvent son nom ne figure même pas au dossier, même s'il a reconnu sa paternité) car il arrive parfois qu'il soit écarté sans être rencontré, à partir d'un discours maternel qui le décrivait comme non intéressé à l'enfant, abusif, violent, et qu'il ne soit jamais plus interpellé par les intervenants. Etant donné le rôle primordial de tiers joué par la figure paternelle dans le processus de séparation-individuation de l'enfant et l'importance des problématiques de relation fusionnelle mère/enfant observées dans notre clientèle, une investigation du désir du père de s'impliquer auprès de l'enfant nous apparaît primordiale, quitte à mettre en place des modalités de contact appropriées dans les cas où l'on craint que la sécurité de l'enfant ne soit compromise.

- soutenir l'image des parents sur la scène interne en parlant avec l'enfant de ceux-ci à chaque fois qu'il les réclame ou qu'il pose des gestes qui visent à les faire réapparaître;

- permettre à l'enfant d'établir avec un intervenant une relation soutenante où sa souffrance est entendue afin qu'il puisse surmonter sa détresse et profiter de son nouvel environnement. Etant donné les facteurs humains qui tendent à empêcher la création de ce lien (désir culpabilisé d'appropriation de l'enfant, protection contre la douleur d'une séparation inévitable comme le soulignent Appell et David (1962)), il est nécessaire que les intervenants puissent trouver un lieu où nommer et élaborer les angoisses et reconnaître la souffrance de l'enfant et des parents face au placement. Souvent, pour toutes sortes de motifs, la souffrance de l'enfant face à la perte des figures parentales est minimisée. On peut, par exemple, s'étonner ou s'offusquer qu'un enfant souffre de la perte d'un parent qui l'a gravement abusé. De même, la honte et la culpabilité des parents, leur peur d'être jugés peuvent faire en sorte qu'ils évitent les intervenants. Cependant, les parents aussi ont besoin d'être soutenus dans l'épreuve que constitue pour eux le placement de leur enfant. Pour certains parents, la souffrance est à fleur de peau, pour d'autres, elle s'avère profondément enfouie.

Conclusion

Le jeune âge des enfants, les perturbations du lien à l'image maternelle, les expériences répétées de séparation qui caractérisent notre clientèle rendent difficile la conservation de l'image maternelle sur la scène interne. L'absence de la mère, lors d'un placement où l'enfant ne l'a plus suffisamment à sa disposition, plonge celui-ci dans une détresse profonde, parce qu'il n'arrive plus à conserver son image vivante en lui, ce qui l'amène à se perdre lui-même, à se dévitaliser.

Le travail auprès de ces enfants doit donc tenir compte de leur besoin d'être remis fréquemment en contact avec leurs parents par le biais de visites, de contacts téléphoniques, d'objets qui les rappellent à leur souvenir. Parallèlement, l'image des parents doit être soutenue sur la scène interne par la parole de l'intervenant, par son attention aux gestes posés par l'enfant qui visent à les faire revenir, par sa capacité à tolérer la souffrance de l'enfant. Dans le cas où l'enfant crie sa souffrance et son désespoir à l'adulte soignant, celui-ci n'a d'autre choix que de se laisser toucher et de tenter de contenir et de donner un sens à la détresse de l'enfant.

Cependant, pour les nombreux enfants qui se protègent contre cette souffrance, qui font comme s'ils n'avaient rien perdu, il devient dangereux de faire l'économie de leur souffrance (et de la nôtre), en entrant en collusion avec leurs défenses (déni de la perte) et en ignorant tout ce qui, dans leurs discours et leurs comportements, pourrait signaler l'existence en eux de l'objet et la souffrance de sa perte. Tout se passe alors comme si tout le monde «faisait le mort», alors que la mort, la perte, n'est jamais évoquée.

Beaucoup d'efforts doivent en effet être mis pour aider ces enfants d'abord à retrouver l'image de l'objet et ensuite à en faire le deuil alors que tout pousse l'intervenant à se protéger de cette souffrance - tout en rationalisant souvent qu'il en protège l'enfant. Cependant, à défaut d'un tel effort, les objets disparaissent, tombent dans l'oubli sans qu'aucun travail de deuil ne prenne place, entravant de ce fait gravement la possibilité de nouveaux investissements.❖

Suffering associated with mother figure separation is treated by the author in the context of placement with an analytical-developmental perspective. Factors identified by research as influencing the child's reactions to separation are interpreted in relation to object formation and internalization. Clinical examples illustrate attempts by the child to maintain the mother image on the internal scene and his reactions to deny the loss. Implications for placement practice are presented.

Note

1 Toute référence dans le texte à l'"image maternelle" doit être comprise comme englobant l'ensemble des échanges vécus entre l'enfant et la personne qui en prend soin (que cette personne soit la mère, le père ou tout autre adulte significatif) ainsi que leur représentation sur la scène interne.

Références

Ainsworth MD. Les répercussions de la carence maternelle: faits observés - controverses dans le contexte de la stratégie de reherches. In: **La carence des soins maternels, réévaluation de ses effets.** (Cahier de l'OMS, no 14) Genève: OMS, 1962:95-158.

Appell G, David M. Etude des facteurs de carence affective dans une pouponnière. **Psychiatr Enfant** 1962;2:407-442.

Aubry J. **La carence de soins maternels.** Paris: PUF, 1955.

Bowlby J. **Forty-four juveniles thieves, their charecters and home life.** London: Baillière Tindall, 1945.

Bowlby J. **Soins maternels et santé mentale.** Genève, OMS, 1951.

Bowlby J. **Attachement et perte. Vol.2 - La séparation, angoisse et colère.** Paris: PUF, 1978.

Bowlby J. **Attachement et perte. Vol. 3 - La perte, tristesse et dépression.** Paris: PUF, 1984.

Burlingham D, Freud A. **Young children in wartime.** London: Allen and Unwin, 1942.

Burlingham D, Freud A. **Infants without families.** London: Allen and Unwin, 1944.

David M. **Le placement familial: de la pratique à la théorie.** Paris: ESF, 1989.

Fanshel D, Shinon EB. **Children in foster care: a longitudinal investigation.** New York: Columbia University Press, 1978.

Freud A, Burlingham D. **Enfants sans famille.** Paris: PUF, 1949.

Goldfarb N. Effects of psychological deprivation in infancy and subsequent stimulation. **Am J Orthopsychiatry** 1945;10(2):18-33.

Horejsi CR. **Foster family care.** Springfield: Charles C. Thomas, 1979.

Klein M. **Essais de psychanalyse.** Paris: Payot, 1968.

Kline D, Overstreet HM. **Foster care of children: nurture and treatment.** New York: Columbia University Press, 1972.

Lebovici S. Aperçu des recherches sur la notion de carence maternelle. In: Ainsworth MD. **La carence des soins maternels.** (Cahier de l'OMS, no 14) Genève: OMS, 1962: 74-94.

Littner N. The importance of the natural parents to the child in placement. **Child Welfare** 1975;54:175-181.

Mahler MS. **Psychose infantile.** Paris: Petite bibliothèque Payot, 1977.

Palardy Y. **Réactions initiales au placement en famille d'accueil à l'âge scolaire.** [Thèse de doctorat en psychologie] Montréal: Université de Montréal, 1981.

Rapaport D. Du départ à l'accueil: vers des pouponnières différentes? In: Dolto D. et al. **Enfants en souffrance.** Paris: Stock/Laurence Pernoud, 1981.

Spitz RA. La perte de la mère par le nourrisson. **Enfance** 1948;391-393.

Spitz RA. **La première année de la vie.** Paris: PUF, 1958.

Steinhauer PD. **The least detrimental alternative: a systematic guide to case planning and decision making for children in care.** Toronto: University of Toronto Press, 1991.

Trasler G. **In place of parents.** New York: Humanities Press, 1960.

Winnicott DW. **De la pédiatrie à la psychanalyse.** Paris: Payot, 1969.

Winnicott DW. **Processus de maturation chez l'enfant.** Paris: Petite bibliothèque Payot, 1978.

Leduc, «Le poids des liens perdus», 1994

P.R.I.S.M.E. été 1994, vol. 4, nos 2-3

LE BÉBÉ EN PLACEMENT FAMILIAL

Myriam DAVID

Psychiatre attachée au Centre Alfred-Binet de Paris, le Dr David a une très longue expérience dans le domaine du placement dont elle a témoigné dans son livre *Le placement familial. De la pratique à la théorie*, publié aux Editions ESF en 1989.

Dans ce bref exposé, je voudrais attirer l'attention sur quelques points concernant le bébé en placement familial. Par bébé, j'entends un nourrisson qui n'a pas encore constitué son self ni sa relation d'objet, et qui a à le faire dans une situation très particulière qu'il convient d'avoir présente à l'esprit, tant pour comprendre la nature des problèmes qui se jouent et qu'il a à assumer, que pour réfléchir aux mesures préventives et thérapeutiques à mettre en oeuvre pour le soutenir dans la maturation et le développement de sa personnalité.

Un bébé à deux mères

Un nourrisson en placement familial est un bébé à deux mères. Il ne peut pas vivre avec ses parents d'origine parce que les soins prodigués sont totalement insuffisants, que sa mère est incapable d'assurer sa fonction de «*holding*», que le père, les proches et les modes d'accueil de jour ne peuvent y suppléer et que, de ce fait, le bébé est dans un état d'insécurité et de risque physique et psychique.

Néanmoins, ce bébé n'est pas adoptable parce que, en dépit de ces insuffisances, il s'est noué entre mère (parfois père) et bébé un attachement intense qui s'oppose à ce que les parents envisagent tant soit peu de faire le nécessaire pour

* *Cet article est reproduit avec la permission de la revue DEVENIR où il a déjà paru en décembre 1990.*

La nature des problèmes qui se jouent et que le bébé, puis l'enfant grandissant, a à assumer au cours d'un placement familial précoce et prolongé est étudiée dans ses diverses composantes: d'une part, avatars de l'attachement primaire originel à une mère privée de sa capacité de holding et d'«accordage», et évolution de cet attachement dans une situation de distanciation; d'autre part, avatars du lien bébé-mère et famille d'accueil, imprégné par des dysfonctionnements liés aux troubles d'attachement, à la séparation et au partage de l'enfant entre ses deux familles. La nécessité d'un travail préventif et thérapeutique est souligné, ainsi que l'intérêt d'un suivi qui permette de mieux connaître le devenir de ces enfants.

rendre le bébé adoptable, s'y opposant même activement ou passivement avec force, tout au moins pendant les premières années.

La coexistence de l'incapacité des parents à sentir et s'adapter aux besoins du bébé et de l'intensité de leur attachement les entraîne à exposer alternativement leur bébé à des conduites de surexcitation, de violence, d'abandonnement, de négligence qui sont une source de souffrance considérable pour le bébé et de préjudice pour son développement.

En placement familial, les soins et le *«holding»* du bébé sont assurés par la mère d'accueil avec la participation de sa famille, et c'est au fil de cette expérience de vie quotidienne que le bébé noue un autre attachement, explore, découvre et élabore *«son objet»* et son *«self»*.

Un bébé en placement est donc un bébé à deux mères: une première dont il est issu et porte le nom, avec laquelle il a noué un attachement premier déviant, qu'il connaît mais qui est à distance, et qui n'exerce pas les fonctions de maternage; une autre dont il ne porte pas le nom mais qui exerce depuis sa tendre enfance toutes les fonctions maternelles, sans être ni sa mère légale ni sa mère naturelle, et chez qui il se trouve pour une durée en général indéterminable mais provisoire.

La situation d'enfant à deux familles est spécifique du placement familial; l'enfant doit la porter et la supporter tant que dure son placement. L'enjeu n'est pas le même selon que l'enfant est placé avant ou après sa première enfance. Deux réflexions faites récemment par deux adolescentes ayant chacune quinze ans éclairent ce point.

Julie, soignée à l'unité de soins à domicile pour jeunes enfants, a pu rester avec ses parents jusqu'à l'âge de quatre ans, puis ceux-ci ont accepté de la confier à M. et Mme W., d'abord pour de courtes périodes, puis le mercredi et les vacances, puis à temps plein pendant les temps scolaires, autour de l'âge de cinq ans. Son père est décédé peu après. Quelque temps avant sa mort, il a demandé que Julie reste chez les W., sachant que sa mère ne pouvait pas s'en occuper toute seule. Bien que celle-ci n'ait jamais pu assurer les soins de son bébé, Julie et elle étaient deux compagnes inséparables. Progressivement, après la mort du père, cette intimité s'est estompée, et Julie en veut à sa mère. A partir de l'âge de treize ans, elle refuse souvent de la voir, résistant agressivement aux demandes de celle-ci. Elle lui reproche d'avoir un ami, de ne pas savoir s'occuper d'elle, de l'emmener au café, de l'envahir avec ses soucis et propos incohérents.

Elle semble apprécier les W., par qui elle cherche à se faire *«adopter»*. Un jour, en consultation, elle sort de sa réserve habituelle pour se plaindre de sa malchance: son père est mort, elle vit chez une famille d'accueil, ses éducateurs la quittent à tour de rôle. Un peu comme si elle s'attendait à être contredite, elle dit, sur un ton de protestation, qu'une mère est irremplaçable, qu'elle doit aimer ses enfants et s'en occuper. Julie voudrait pouvoir vivre avec ses parents. Puis elle ajoute qu'elle est contente d'être restée avec eux jusqu'à l'âge de cinq ans, car au club où on discute de ces choses entre filles du même âge, elle a appris que Viviane était chez une famille d'accueil depuis l'âge de quatre mois. Elle imagine combien elle a dû pleurer le jour où, devenue grande, elle a découvert que sa famille d'accueil n'était pas ses vrais parents. *«Ce doit être terrible...»*

Sophie, elle, a peu connu sa mère et n'a jamais été soignée par elle. Son accueil à la journée par une première assistante maternelle a été mué en placement familial dès l'âge de huit mois. Elle a été retirée par sa mère, du jour au lendemain, de chez cette famille à laquelle elle était très attachée, alors qu'elle avait à peine deux ans. Peu après, elle a dû à nouveau être placée en foyer pendant six mois, puis chez la famille X. vers l'âge de trois ans.

Aujourd'hui âgée de quinze ans, après une longue période heureuse dans sa famille d'accueil, Sophie est en pleine révolte: elle crie en pleurant qu'elle a raté sa vie, que personne ne sait ce que c'est d'être *«dans une famille»*. *«Je voudrais être comme tout le monde, avec une famille, une seule. D'abord, ma mère, je ne crois pas qu'elle est ma mère; je n'arrive pas à le croire, je ne l'aime pas... Ce n'est pas beau de dire ça, je le sais, mais c'est comme ça...»*

Puis, après un bref silence: *«Enfin, si ça se trouve, peut-être que je l'adore... D'abord, je sais maintenant que les X. me prennent pour de l'argent... ils ne me considèrent pas comme leur enfant, sans ça ils ne feraient pas ce qu'ils font.»* Suit une longue liste de méfaits. Sophie refuse de leur obéir, de les aider parce qu'ils ne sont pas ses vrais parents. Elle les provoque au point de se faire battre, puis renvoyer. Elle est dans l'état pénible de vouloir être leur vraie fille et à leur reprocher de ne pas l'être, à se refuser de l'être. *«J'aurais voulu être adoptée toute petite, ne jamais connaître ma mère, vous ne pouvez pas comprendre...»*, et Sophie pleure silencieusement.

Si on compare ces deux observations, bien que Julie souffre de cette situation, elle n'a aucun doute sur qui est sa mère; elle peut l'aimer et la détester en tant que mère; elle peut lui en vouloir, la malmener, la comparer à sa mère d'accueil. Pour elle, aucune ambiguïté n'existe. Mme W. n'est pas sa mère, mais une personne à qui elle s'attache, certes, auprès de qui elle accepte de vivre, à qui elle compare sa mère; elle désirerait parfois être une fille W., mais elle sait qu'elle ne l'est pas et se félicite de l'avoir toujours su.

Par contre, en dépit de ses rencontres régulières avec sa mère et sa fratrie, et de tout ce qui a pu être dit et expliqué à ce sujet, Sophie reste confuse et déchirée, finalement seule entre deux mères, un peu comme si elle avait été trompée par ceux qui l'ont élevée, et sans se sentir de liens avec sa mère d'origine, dont elle avait accepté les visites et les absences en évitant longtemps de se questionner à ce sujet.

L'expérience intérieure de ces deux fillettes est bien différente. Voyons quels sont les caractéristiques et les avatars des liens qu'un bébé poursuit avec sa mère d'origine, et qu'il établit et poursuit avec sa famille d'accueil lorsque, comme Sophie, il a dû être placé pendant les premiers mois de sa vie.

Le bébé et sa mère d'origine:

«un attachement premier intense suivi de perte, un *«holding» non assuré et gravement inadapté»*

Le bébé en placement familial est un bébé qui a noué un attachement premier à sa mère. Dans le cadre de cet attachement, il s'est trouvé exposé à, intriqué dans et partie prenante d'un système interactif marqué par des troubles graves auxquels il a réagi, s'est adapté, dont il s'est défendu à la mesure de ses moyens. C'est dans le cadre de cette expérience interactive qu'il a structuré sa capacité et ses modalités premières d'attachement et qu'il organise ses premières perceptions du monde ambiant et de lui-même, et il est sans doute d'autant plus attaché et soudé à cet ensemble interactif, dans lequel il s'inscrit et qui fait partie de lui, qu'il est tenu de *«réagir»* et de se défendre.

Or, placé le plus souvent en urgence, le bébé est soudain amputé de cette partie de lui-même en même temps qu'il est exposé à une situation et à des interactions nouvelles, sans aucun lien avec ce qui a précédé. Il s'ensuit un état de perte massive, qui se traduit en général par des états de sidération, que les documents vidéo sur l'adoption précoce de l'équipe de Sucy-en-Brie ont bien mis en évidence. En fait, on connaît mal les troubles des bébés avant la séparation, car le bébé est rarement observé ou examiné pour lui-même, les travailleurs sociaux à l'origine de la mesure de placement n'étant pas préparés à ce travail et s'appuyant surtout sur la connaissance des défaillances parentales pour évaluer la nécessité d'un placement.

Le bébé et sa mère d'accueil:
«un attachement intense mais malaisé»

On aurait pu croire qu'un placement précoce chez une bonne famille efface facilement et rapidement une expérience première relativement brève. Il semble bien que, le plus souvent, il n'en soit pas ainsi et que l'attachement à la mère d'accueil présente des caractères particuliers.

Certes, passée la réserve première liée au choc de la séparation et du changement de milieu, l'attachement mutuel entre bébé et mère d'accueil est lui aussi d'une grande intensité: associé à ses compétences maternelles, le vif désir de celle-ci de remettre sur pied le bébé souffrant et d'en faire un beau bébé satisfait sert de point d'ancrage à ce bébé perdu qui s'accroche à elle. C'est là le point de départ d'un lien étroit, mais complexe. L'intensité de cet accrochage va de pair le plus souvent avec une amélioration rapide de l'état du bébé, et c'est là une source de satisfaction manifeste, dont la mère d'accueil fait état avec fierté.

Néanmoins, les effets cumulés des troubles de l'attachement primaire et du choc de la séparation, sans que l'on puisse faire la part de l'un ou de l'autre, ne tardent pas à se manifester, provoquant un malaise chez la mère d'accueil et dans son entourage. Il est vraisemblable que ce malaise existe d'emblée, mais il est rarement mentionné; il est en quelque sorte infraverbal, vague, insidieux et le plus souvent caché longtemps, soit qu'il n'émerge pas à la conscience de la mère d'accueil qui se défend ainsi de sentir mis en échec son désir *«réparateur»,* soit qu'elle préfère ne pas mentionner un trouble dont elle espère venir à bout toute seule.

C'est donc le plus souvent a posteriori que les difficultés deviennent manifestes. Elles sont cependant signalées alors comme ayant existé d'emblée. La nature des difficultés peut être assez diverse d'un cas à l'autre (alimentation, sommeil, particularités des modes de contact, etc.) mais, derrière cette variété, on retrouve des traits communs:

- le caractère impératif, intransigeant, des demandes du bébé auxquelles il est quasi impossible de ne pas céder, la mère d'accueil se sentant obligée de s'y plier pour calmer une violence sous-jacente qui tend très vite à émerger. La mère d'accueil peut s'épuiser du fait de s'acharner à trouver les moyens susceptibles de contenir cette violence, ressentie comme une souffrance intense, envahissante et destructrice. L'ardeur de la mère d'accueil à *«maintenir»* le bébé calme, détendu, content, masque souvent aux yeux de l'équipe l'importance, sinon l'existence, du malaise;

- l'angoisse de séparation ne se développe pas chez le bébé selon le schéma habituel; ici, elle est plutôt tardive et, au lieu de céder après quelque temps, elle s'intensifie au point de pouvoir devenir poignante, de rendre difficile et retarder l'entrée à la maternelle;

- l'angoisse de séparation et l'intransigeance de la demande s'allient pour entraîner bébé et mère d'accueil vers une relation fusionnelle exclusive, à l'intérieur de laquelle le bébé exerce sa tyrannie, et la mère d'accueil, une surprotection; relation dont le père d'accueil peut être exclu, à moins que ce ne soit lui qui satisfasse ce besoin fusionnel lorsque la mère d'accueil cherche à y résister et à mettre des limites qui font surgir l'angoisse de l'enfant et la colère de la mère d'accueil.

Le bébé partagé: *«les difficiles retrouvailles»*

Entre bébé et mère

Les premières retrouvailles entre bébé et mère sont très éprouvantes pour le bébé, pour la mère, et pour l'équipe, lorsque celle-ci en est témoin. La réserve craintive ou la plate indifférence apparente du bébé lorsqu'il est confronté avec sa mère après une absence plus ou moins longue, alors que l'attachement à la mère d'accueil s'est noué, est très blessante pour la mère, d'autant que cette réserve se transforme en manifestations aiguës d'angoisse et de refus si la mère cherche à s'emparer du bébé. Mère et bébé ont absolument besoin d'un tiers pour surmonter la violence de cette situation.

C'est à partir de cette épreuve pénible que, à travers la répétition régulière de ces rencontres au cours des semaines, des mois et des années, le bébé, puis l'enfant, puis l'adolescent fait un travail douloureux et difficile pour élaborer ce premier attachement, en ayant à surmonter des états émotionnels successifs. L'état phobique à l'égard de la mère peut durer longtemps; il est suivi de brusques et intenses désirs à son égard, dont il se défend ou auxquels il cède alternativement, d'autant que sa mère, dans le même temps, lui fait des promesses qu'elle ne peut pas tenir. Idéalisation, frustration, désillusion et rejet, blessure narcissique et angoisse d'appartenance se succèdent et alternent tandis que, simultanément et en fonction de ces mouvements, la relation à la mère d'accueil et à la famille d'accueil en subit les contrecoups, évolue et se transforme en fonction même de ces vicissitudes.

Entre bébé et famille d'accueil

Un document vidéo illustre les réactions d'un bébé âgé de vingt mois lors des retrouvailles avec sa famille d'accueil, à la suite d'un séjour de vingt-quatre heures au domicile de ses parents. Cet enfant a été séparé de ses parents vers l'âge de trois mois et, après un séjour de plusieurs mois en pouponnière, est depuis l'âge de dix mois chez M. et Mme L.

Dans la première partie du document, l'éducatrice qui suit ce bébé vient le chercher pour l'emmener chez ses parents. Elle cherche à préparer l'enfant à cette rencontre, lui laisse le temps d'exprimer ce qu'il ressent de cette situation. Le bébé regarde attentivement l'éducatrice à qui il jargonne un *«bonjour»*, il réagit à ses paroles en s'agitant dans les bras de la mère d'accueil, en tapant nerveusement, de façon ludique, un grand garçon qui est à ses côtés, puis l'éducatrice elle-même; puis il fait une grande démonstration d'amour et de tendresse à sa mère d'accueil.

Quand le départ est annoncé à nouveau, il se cogne la tête comme accidentellement, puis récidive volontairement. Il contemple encore avec un mélange d'amour et de perplexité le visage de la mère d'accueil et lui touchant les cheveux, se penchant ensuite vers l'éducatrice, un peu comme s'il consentait à aller avec elle. Son langage est incompréhensible mais il jargonne beaucoup et de façon expressive avec véhémence. Mais quand la mère d'accueil l'habille et s'achemine avec lui vers la voiture, il geint, mal à l'aise et maussade. Dans la voiture, son regard est perdu et absent.

Les retrouvailles sont saisissantes. Lorsque la porte s'ouvre et qu'il est face à sa mère d'accueil, il n'a aucun mouvement vers elle; il a un air perplexe, se tourne vers l'éducatrice, regarde et touche son visage. Mme L. l'accueille en l'inondant de paroles, mais attend un peu avant de lui tendre ses bras, dans lesquels l'enfant se laisse couler. Il est souriant, mais toute tendresse a disparu; il ne peut que s'exciter et sauter en se secouant sur un mode auto-érotique dans les bras de sa mère d'accueil qui, de son côté, sur le moment, ne peut que suivre le mouvement imposé par l'excitation de l'enfant. Mère et père d'accueil s'associent pour l'aider à se retrouver en lui offrant ce qu'il peut aimer: un biberon qu'il boit avidement, un jeu...

Toutes les familles d'accueil vivent douloureusement ces rencontres entre mère et bébé et ces retrouvailles impossibles. Elles sont si pénibles que tous ceux qui y sont exposés et témoins du malaise des bébés sont souvent amenés à remettre en question le bien-fondé du maintien des liens avec les parents gravement défaillants de façon chronique.

C'est pourtant dans le cadre de cette double relation que le bébé va grandir, devenir enfant, peut-être adolescent, en recevant tous les soins affectifs, éducatifs, pédagogiques, sanitaires qui lui sont indispensables et que ses parents ne peuvent lui prodiguer. Pour un bébé arrivé si tôt dans une famille d'accueil, sa mère d'accueil est sa «vraie mère», cela en dépit de toutes les informations et explications qui peuvent lui être fournies et en dépit du maintien de contacts avec ses parents d'origine. C'est avec la mère d'accueil et avec sa famille d'accueil que, dans la vie quotidienne, au fil des jours et des mois de ses deux premières années, il élabore sa relation d'objet et son self. Cette élaboration est forcément teintée par son expérience maternelle primaire: celle-ci est jouée sur la famille d'accueil qui en éprouve un sentiment d'étrangeté douloureux; elle doit s'y plier, tout en s'efforçant de la faire évoluer, afin que, soutenu par sa relation à la mère d'accueil et à la famille d'accueil tout entière, il puisse émerger de l'enfermement dans un attachement primaire, le faire évoluer vers une relation objectale, l'imago maternelle étant forcément teintée par ces deux mères, tout comme le seront ultérieurement les processus identificatoires. De même, pour ces enfants, un sentiment d'étrangeté pénible vis-à-vis des parents d'origine demeure, même lorsque, à certains moments, existe un vif désir de les rejoindre ou de les retrouver.

Il importe d'insister sur la complexité de cette situation, difficile à vivre pour le bébé et l'enfant grandissant, pour ses parents, pour sa famille d'accueil, ainsi que sur la nécessité impérative d'un travail d'accompagnement thérapeutique, tout au long de la trajectoire qui les lie les uns aux autres, afin qu'il n'y ait pas de rupture, mais une continuité de soins qui favorise le processus d'individuation et l'élaboration du fonctionnement mental du jeune enfant si tôt placé.

Reconnaître cette complexité, c'est reconnaître la souffrance qu'elle engendre, et c'est déjà la traiter un peu. Le traitement de ces situations est également complexe; il comporte de multiples dimensions et demande à être conduit avec un esprit de recherche, tant pour améliorer les possibilités de traitement que pour en évaluer les résultats.

Conclusion

Quel est le devenir de ces bébés? Des études longitudinales et des évaluations périodiques sont indispensables pour répondre à cette question. L'évolution dépend de facteurs multiples: des ressources du bébé, de l'intégrité de son équipement, de l'évolution de la psycho-sociopathologie de ses parents, de la tolérance de sa famille d'accueil, de la capacité de celle-ci à assurer le holding du bébé sans décompenser ni se laisser entraîner dans les circuits interactifs pathogènes. Elle dépend aussi pour une large part de l'existence, de la continuité et de la qualité d'un accompagnement thérapeutique.❖

The author considers the nature of the problems that arise for the baby and the growing child in the process of precocious and long-term family foster care. First, she analyzes the vicissitudes of the primary attachment between the child and his natural mother as this one is deprived of her capacity for holding and attunement to her child's needs. The evolution of bonding in a situation of distanciation is further described. On the other hand, she considers the vicissitudes in the mother-child relationship, as it is impregnated by dysfunctioning and relational problems due to the early separation endured by the child and his split between his two families. The necessity of prevention and therapeutic care is underlined as well as the interest of maintaining a follow-up in those cases to increase our knowledge of the future that awaits those children.

En se reportant à sa longue expérience clinique dont il relate les débuts dans la France de l'après-guerre, le Docteur Michel Lemay discute ici des enjeux du placement dans le cas de très jeunes enfants et de leurs familles, et il élabore sur le rôle et la formation des intervenants et sur celui de consultant dans ces centres qui reçoivent une telle clientèle d'enfants.

Le Dr Lemay est pédopsychiatre, docteur ès lettres et professeur titulaire au Département de psychiatrie de la Faculté de Médecine de l'Université de Montréal. De 1960 à 1970, il était en France où il partageait son temps

ENTREVUE AVEC

MICHEL LEMAY

Par Louise BAILLARGEON
et Denise MARCHAND

P.R.I.S.M.E.: Vous êtes engagé depuis plus de 30 ans dans le travail clinique auprès des enfants et des familles en difficulté. Au sujet de votre parcours professionnel, peu de gens savent que vous avez été éducateur avant de devenir médecin psychiatre. Pourriez-vous évoquer pour nous quelques images de vos premiers engagements et des milieux d'alors?

Dr Lemay: Dans ma trajectoire, il y a le fait au départ que je suis un enfant de la guerre. La guerre en France qui s'est terminée en '45 a entraîné la dislocation du tissu social. D'une part, des familles entières avaient été anéanties, et des bandes d'enfants erraient à travers l'Europe. On assistait aussi, avec la fin des combats, au retour des pères de famille des camps, et dans certains cas, les familles s'étaient reconstituées, - y compris avec des Allemands, - ce qui à l'époque a créé des drames épouvantables.

J'avais 14 ans en 1945 et j'ai été très touché par toute cette situation. La dislocation des familles explique que se sont constitués à travers la France - mais aussi en Belgique, en Hollande, et dans d'autres pays - des centres d'hébergement pour ces populations. Par exemple, à côté de Rennes où j'habitais, Georges Bessis puis Paul Lelièvre ont construit à Kergoat des baraquements en bois où ils entre la direction d'une école d'éducateurs spécialisés et la responsabilité d'un Centre médico-psychiatrique. Arrivé au Québec en 1973, il a été détaché pendant 12 ans à l'Ecole de Psycho-Education où il enseignait la psychopathologie tout en étant consultant en centre d'accueil et pédopsychiatre à l'Hôpital Sainte-Justine où il fut coordonnateur de l'enseignement de 1979 à 1986.

En 1986, il a pris la direction des services de soins spécialisés à l'enfance à l'Hôpital Sainte-Justine tout en enseignant à la Faculté de Médecine. Depuis un peu plus de trois ans, il dirige l'enseignement de la pédopsychiatrie à la Faculté de Médecine de l'Université de Montréal et, sur le plan clinique, il est responsable d'un Centre de jour pour enfants psychotiques et d'une clinique spécialisée pour jeunes enfants autistes au Département de psychiatrie de l'hôpital Sainte-Justine.

recueillaient une centaine d'enfants de 6 à 18 ans. En 1944, Jacques et Marie Guyomarc'h ont construit à Rennes le Centre d'observation de la Prévalaye qui recevait des enfants errants. Comme j'étais scout à l'époque, on allait souvent en tant que patrouillard donner un coup de main. J'ai donc baigné dans ce mouvement jusqu'en 1947, puis j'ai voulu, un peu naïvement, travailler dans un de ces centres. On m'a remercié en disant: *«Tu n'as que 16 ans, continue tes études...»*. Mais à 18 ans par contre, quand j'y suis retourné, Jacques Guyomarc'h m'a pris dans son établissement de la Prévalaye, qui consistait en de simples baraques où il n'y avait ni chauffage ni sanitaire. Pour douches, un camion de l'armée arrivait avec de l'eau et les enfants remplissaient un casque d'eau qu'ils se renversaient sur le corps, puis refaisaient la queue pour en remplir un 2e. Nous travaillions dans ces conditions-là... mais c'était absolument passionnant! Une vie très intense, et qui a duré jusqu'en 1950, en ce qui me concerne.

J'ai alors rencontré un médecin qui a joué un rôle très important comme modèle identificatoire, et qui m'a dit: *«Oui, tu es passionné par ce travail, mais tu devrais faire médecine. On aura certainement besoin de médecins dans ce genre de milieu.»* Je suis entré en médecine et pendant trois ans, j'ai été complètement pris par mes études, mais à partir de la quatrième année, comme les études médicales étaient moins dures à l'époque, je suis retourné comme éducateur dans cet établissement.

Puis en 1955, je suis entré à Paris dans le service de Georges Heuyer. Il s'agissait du tout premier service de pédopsychiatrie qui commençait à se constituer et j'ai alors eu la chance de côtoyer Lebovici, qui était chef de clinique, Misès et Lang, qui étaient résidents. Je me suis imprégné de cette orientation et à la fin de cette année-là, par une chance énorme, j'ai obtenu une bourse pour aller aux Etats-Unis. La bourse Fulbright me permettait d'être éducateur dans un établissement près de New York, avec la possibilité d'aller deux jours par semaine à Columbia où je suivais un cours de thérapie familiale donné par Nathan Ackerman, un cours sur la délinquance et un cours de thérapie de groupe avec Slavson qui, en même temps, coordonnait le centre où je travaillais.

Mais la grande découverte d'alors fut pour moi la psychanalyse. Il faut dire que la psychiatrie française était à l'époque très neurologique, et la formation que j'avais reçue était essentiellement neurologique et pédiatrique. C'est à ce moment qu'on me dit: *«Tu devrais aller voir ce qui se fait à Montréal; il se passe des choses étonnantes dans le domaine de la délinquance.»* On m'avait nommé le Centre d'Orientation qui était dirigé par Jeannine Guindon, et Boscoville que dirigeait Gilles Gendreau. J'ai donc rencontré ces équipes et découvert leur dynamisme, mais ce qui m'avait surtout frappé, c'était de voir ici une méthodologie appliquée à l'approche éducative, et des gens qui réfléchissaient sur leur implication.

Après cette expérience, - en fait, c'était les premiers ponts avec le Québec - je suis retourné en France, et j'étais bien loin de penser que ceci m'amènerait un jour à m'installer ici. J'ai donc poursuivi mes études en psychiatrie et on m'a proposé en 1960 la direction de La Prévalaye, que j'ai assumée avec Guyomarc'h pendant trois ans, tout en terminant ma formation. Puis en 1963, j'ai accepté la direction des études de l'Ecole d'Educateurs spécialisés, la première du genre fondée en Bretagne, ainsi que la direction d'un CMPP, centre médico-psychopédagogique, comme on les appelait à l'époque. C'est pendant ce temps que j'ai fait mon doctorat d'état ès Lettres et ma formation psychanalytique, particulièrement en psychodrame.

P.R.I.S.M.E.: A propos des images que vous évoquiez de ces familles disloquées et des traumatismes entraînés par la guerre, je décrivais récemment l'état de dépression et de désinvestissement grave chez un très jeune enfant, et la consultante qui m'écoutait m'a renvoyée à Anna Freud qui s'est occupée des enfants après la guerre, en me suggérant cette lecture. Est-il juste de comparer la situation des enfants que nous recevons dans nos centres à celle des temps de guerre?

Dr Lemay: Anna Freud ne s'est pas occupée des enfants seulement après la guerre mais aussi pendant la guerre. L'histoire est celle-ci: les bombes allemandes tombaient constamment sur Londres et les femmes ne pouvaient pas quitter la ville parce que les usines d'armements tournaient grâce à elles. Il fallait donc protéger les enfants. C'est alors que le gouvernement anglais prit la décision d'évacuer tous les enfants de moins de 7 ans et demanda à Anna Freud et Dorothée Burlingham d'organiser l'exode vers la campagne anglaise de ces enfants qui, de ce fait, perdaient brusquement leur famille. *Enfants sans familles*, le livre qu'elles ont écrit, contient précisément les observations des réactions de détresse de ces très jeunes enfants, observations qui ont ensuite été reliées aux travaux de Spitz, de Bowlby, et plus tard, à ceux de Myriam David et Geneviève Appell, et de Jenny Aubry, en France.

P.R.I.S.M.E.: Si l'on revient à l'époque actuelle, nous ne sommes plus en temps de guerre et pourtant, nous plaçons encore de jeunes enfants. Quelle est votre opinion sur la nécessité de l'hébergement en milieu institutionnel, et particulièrement dans le cas de très jeunes enfants?

Dr Lemay: Je crois qu'il faut voir les choses dans une perspective historique. On s'est trouvé en France avec ce problème de familles dévastées. Or, la prise en charge d'enfants ne se faisait jusque-là que dans des institutions à caractère religieux qui pensaient bien faire mais avaient des conceptions dépassées. Je pense à St-Vincent-de-Paul, à ces grands orphelinats d'avant la guerre où il existait des règles assez terribles, par exemple, disant au personnel que ce n'était pas bien de s'attacher aux enfants.

Nous sommes dans une période de transition où l'on a bien vu les méfaits de l'institution, mais où on ne voit pas bien les méfaits de certains milieux familiaux pathogènes.

On a alors assisté à une dénonciation très forte de l'institutionnalisme dans tous les pays du monde, avec Spitz d'un côté, Bowlby et Robertson, en Angleterre, qui faisaient en même temps des liens avec l'hospitalisation des jeunes enfants, Jenny Aubry et Myriam David, en France. On disait: *«Ce sont des lieux de pathologie, il faut les fermer!»,* et ce mouvement a effectivement abouti à des transformations considérables de ces lieux. Mais parallèlement à ce fait, on a pris progressivement conscience que les familles pouvaient être tout aussi disloquantes et provoquer de l'hospitalisme; lorsque des parents ne peuvent investir de manière régulière leurs enfants, on se trouve de fait dans des conditions bien proches de ce que Spitz a dénoncé au niveau de l'internat.

Actuellement, nous sommes dans une période de transition où on a bien vu les méfaits de l'institution, mais où on ne voit pas encore très bien les effets de certains milieux familiaux pathogènes. On a l'espoir, qui n'est peut-être pas complètement utopique, que ces milieux sont rattrapables, et donc, qu'il faut à tout prix maintenir à l'intérieur de la famille ces enfants, même s'ils sont extrêmement mal investis. Je pense que ce n'est pas aussi simple et, comme toujours, que la réalité est entre les deux. Et comme à ces problèmes se surajoutent des facteurs économiques, puisqu'on sait très bien que des institutions, ça coûte cher, et que laisser les enfants en milieu familial, ça coûte moins cher, cette addition de facteurs fait qu'à l'heure actuelle, on nage un peu dans les contradictions.

P.R.I.S.M.E.: Le fait de retirer l'enfant de son milieu naturel confronte les intervenants à des situations toujours très complexes et remplies de souffrance. De fait, on sort l'enfant de son milieu pour lui permettre d'avoir une vie meilleure, mais on s'aperçoit que la souffrance provoquée par le système est quelquefois aussi grande que celle engendrée par la famille. Qu'en pensez-vous?

Dr Lemay: Vous décrivez là hélas ce que j'appelle la pathologie expérimentale, i.e. qu'on place des enfants dans des situations où l'on peut prédire dans bien des cas ce qui va se passer. Je me reporte ici à mon expérience des centres de rééducation; si je me suis intéressé très tôt à la carence, c'est qu'on la trouvait chez ces enfants. La carence était très peu connue en psychiatrie, parce que ces enfants venaient peu dans les consultations de secteur, alors que dans ces institutions, on se trouvait face à des enfants complètement désorganisés et avec des pathologies particulières que j'ai tenté de décrire dans *J'ai mal à ma mère*. Comme on se cassait le nez avec ces enfants, et justement parce que le mal était déjà fait, il y a eu l'espoir de les sortir des institutions, de tenter des approches moins lourdes, telles que les foyers de groupe ou les placements familiaux thérapeutiques qui ont beaucoup apporté dans ce sens.

Il est certain que de laisser les enfants dans leur famille chaque fois qu'on le peut, c'est essentiel, mais à condition que des intervenants puissent réellement soutenir le milieu familial, et ceci très tôt. Sinon, on laisse les choses se détériorer et on aboutit à des ruptures très pénibles qui sont liées à deux facteurs: d'une part, ces enfants vivent avec des parents qui ont d'énormes problèmes autour de la compétence parentale, et d'autre part, ces parents génèrent chez leurs enfants des troubles de comportement qui font qu'à leur tour, ces enfants deviennent persécuteurs et aggravent, de ce fait, la pathologie familiale. On se retrouve au bout de quelques années dans un cercle vicieux puisque, dans les placements familiaux non soutenus, il est impossible d'assimiler ce type d'enfant qui est renvoyé au bout de six mois parce qu'il est trop difficile.

P.R.I.S.M.E.: Avec comme résultat, bien souvent, que ces enfants ont des trous de mémoire; ils n'ont en fait pas de passé, et un futur plus qu'hypothéqué...

Dr Lemay: Toutes les bases de leur identité sont atteintes.

P.R.I.S.M.E.: En vous reportant aux termes dans lesquels vous décrivez la carence, quels changements remarquez-vous dans les problèmes présentés par les jeunes enfants d'aujourd'hui?

Dr Lemay: Le premier point, je crois, c'est qu'il y a tout autant d'enfants carencés à l'heure actuelle qu'il y en avait, il y a 40 ans. C'est quand même effroyable comme prise de conscience, quand on pense au nombre de praticiens et aux efforts qui ont pu être faits pour enrayer ce problème. Bien sûr que ponctuellement, il se fait des choses remarquables, mais si on regarde ces expériences à l'échelle d'un pays, c'est une goutte d'eau dans un baril.

Il y a tout autant d'enfants carencés à l'heure actuelle qu'il y en avait il y a 40 ans.

Ceci dit, je pense que les carencés qu'on trouvait autrefois, ces grands états d'hospitalisme avec l'absence de vie psychique qui les caractérisait, on n'en trouve plus. Par contre, ce que l'on voit beaucoup plus, ce sont des états carentiels mieux construits. Il y a chez de tels enfants des ébauches de vie psychique avec une certaine prise de conscience du corps, un certain enracinement dans l'espace et le temps, quelques rencontres objectales qui ont été significatives, des ébauches de socialisation, mais d'un autre côté, le tableau est celui d'un enfant extrêmement avide, voulant tout, tyrannique et incapable d'assimiler l'amour parce que présentant des mécanismes de brisure, un enfant intolérant à la frustration, régressif et utilisant son corps autour de l'auto-sensorialité et non de l'échange, un enfant compensant par des vols, de l'agression, etc.. Et il faut dire ici que cette population a augmenté et probablement du fait des familles monoparentales.

Je pense qu'on peut très bien se développer dans une famille monoparentale, mais par définition, il s'agit d'un adulte seul. Si l'adulte est capable d'investir l'enfant, c'est formidable, mais si ce parent a des problèmes de compétence, il n'est pas rattrapé par l'autre partenaire, un père, des grands-parents, un quartier, ce qui fait que l'insuffisance de l'un est compensée par les capacités des autres.

P.R.I.S.M.E.: C'est toute la question de la compétence parentale que vous posez; comment cela intervient-il dans le cas de la carence?

Dr Lemay: Le drame de la carence, c'est que cette pathologie est transmissible. C'est ainsi que, de génération en génération, des êtres qui n'ont pas reçu ce dont ils avaient besoin ont la nostalgie de réparer par l'intermédiaire d'un bébé le monde qu'ils n'ont pas connu. Partant de là, ne trouvant pas dans ce bébé l'objet réparateur dont ils rêvaient, ils vont le transformer en objet persécuteur, et au bout d'un certain temps, alors qu'ils avaient affirmé: *«Je ne veux surtout pas que mon enfant connaisse ce dont j'ai manqué»*, ils en viendront à répéter sur leur enfant les phénomènes interactionnels qui sont à la source de leur drame.

P.R.I.S.M.E.: C'est exactement la réalité des très jeunes enfants que nous recevons. Dans 99,9% des cas, on remarque que les parents eux-mêmes ont été placés, et on peut même remonter jusqu'à la troisième génération. On n'arrive pas à enrayer la répétition transgénérationnelle malgré l'énergie déployée. Comment peut-on aborder cette problématique?

Dr Lemay: Un premier point tient au fait qu'il faut prendre conscience que la carence existe. Je le souligne parce que je suis très frappé de voir combien il est encore très difficile de faire admettre ceci, alors que c'est une des pathologies les plus fréquentes qu'on rencontre durant l'enfance. Je pense qu'il y a une prise de conscience importante à faire à ce niveau.

La deuxième prise de conscience tient justement à l'aspect transgénérationnel de cette problématique, au fait que la compétence parentale est liée à tout ce que nous avons vécu en tant qu'enfant, rencontré ou non auprès de nos parents, mère et père, et que si nous n'avons pas rencontré cela, les éléments de la compétence parentale ne surgissent pas.

Un premier élément souvent retrouvé chez ces jeunes adultes carencés est celui d'une sexualité très diffuse, et partant de là, le peu de possibilités de constituer un couple stable. L'homme est hélas souvent absent ou, du fait des mécanismes de brisure, il change de conjointe et s'attache généralement peu à l'enfant. La femme présente une autre trajectoire: au niveau de la grossesse, il y a un grand désir d'avoir très tôt un bébé, ou du moins, une grossesse pour combler un vide. Cette jeune fille rêve d'un bébé qui rattraperait toute son existence en même temps qu'elle ne pose pas dans la réalité d'actes préparant l'accueil du bébé.

Puis, c'est l'apparition de l'enfant. On sait bien ce que c'est que d'éduquer un enfant: c'est l'aider à se séparer, à s'individuer. Or, cette idée est insupportable pour ces parents, parce que se séparer, c'est surtout abandonner, et s'individuer veut dire *«être différent de soi»*. On retrouve chez ces parents un énorme effort de maintenir le bébé dans une situation régressive, avec d'ailleurs beaucoup d'ambivalence, puisque ce bébé qui reçoit beaucoup réveille ce qu'on n'a pas reçu. L'enfant devient par moments un poids insupportable, alors qu'à d'autres au contraire, on voudrait le réincorporer, avec le risque de voir s'installer une relation *«yoyo»*, qui est très dommageable. On se trouve donc déjà dans un malentendu relationnel. Et comme ce parent veut le bébé pour lui seul, comme une poupée réparatrice, il y a une énorme ambivalence par rapport à l'autre partenaire, de sorte que la notion de tiers existe très peu, avec la difficulté d'établir une triangulation.

La mère carencée peut être aidée à la condition d'être accompagnée par la même aide familiale pendant les trois premières années de la vie de son enfant.

Telle est la situation, et qui d'ailleurs se reconnaît très tôt, en fait, dès la maternité, alors qu'on voit ces femmes souvent seules, déprimées, avec un passé carentiel, et chez qui on observe ce décalage entre le discours et les actes quotidiens. Elles sont en danger de maternage.

Mais ce sont aussi des femmes avides et en recherche de relation; elles sont donc souvent assez prêtes à recevoir une intervention, mais pas une intervention verbale. Aider ces gens à parler de leurs sentiments vis-à-vis de leurs parents m'apparaît souvent inutile. C'est dans le quotidien qu'elles ont besoin d'aide, et je crois beaucoup à une profession qui n'existe pas suffisamment ici, qui est celle d'aide familiale. Les aides familiales sont des gens qui ont reçu une formation sur le plan psychologique, qui se rendent à domicile et qui, sans se substituer à la mère, l'accompagnent dans ses soins de pouponnage et lui apprennent les actes les plus banaux, ne serait-ce qu'on ne nourrit pas un enfant en regardant la télévision mais en prenant plaisir à l'échange visuel, à toute la sensorialité liée aux échanges avec l'enfant. Ces mères peuvent alors investir leur enfant et éviter les toutes premières carences de départ.

Des interventions remarquables peuvent se faire ainsi, mais à condition que ces aides soient rattachées à une équipe, à condition qu'il y ait des évaluations assez répétées de ces bébés, de façon à repérer les signes de souffrance, à condition aussi qu'il y ait une aide sur le plan économique pour ces mères. Tout ceci vaut la peine parce que, grâce à cette intervention qui pourrait être le travail des CLSC, les enfants peuvent être sauvés. Mais à la condition qu'il y ait une stabilité du personnel, et ceci est essentiel. Ces femmes ne peuvent être aidées que dans la mesure où c'est la même personne qui, au moins pendant les trois premières années, les accompagnera, en les aidant à investir leur enfant.

Par contre, on peut se retrouver face à d'autres personnes qui ont manifestement un tel ancrage à l'incompétence parentale que le bébé devenant persécuteur, elles-mêmes se mettent à le persécuter, et commencent alors les abus physiques, etc.. Je pense qu'on ne doit pas alors hésiter à recourir aux mesures judiciaires. Mais là encore, cette intervention ne peut se faire sans une équipe stable qui a établi une collaboration avec un milieu judiciaire qui comprend bien les problèmes, avec un avocat qui comprend lui aussi qu'il est à la fois au service de la mère et de l'enfant. Si ces conditions sont en place, je pense que l'on peut répondre à une partie de cette population.

On arrive enfin à un degré de plus, celui où l'enfant est abandonné ou se trouve déjà dans un état tel de destructuration que c'est folie de penser pouvoir le placer directement dans un milieu familial substitut. Et c'est ici que les pouponnières ont leur rôle. Elles sont des milieux à la fois suffisamment proches et suffisamment neutres pour que l'enfant, tout en étant en attente de pouvoir investir quelqu'un d'autre, soit aidé par une intervention qui va dans le sens de diminuer l'intensité de ses symptômes, de son ambivalence relationnelle, et ceci, jusqu'à ce que l'on ressente qu'il est replaçable, ou dans son milieu, ou dans une famille d'accueil.

P.R.I.S.M.E.: Pourriez-vous élaborer sur ce rôle de tiers qu'est appelée à jouer l'institution en intervenant dans la dyade mère-enfant, lorsqu'une séparation s'avère nécessaire?

Dr Lemay: La pouponnière a en effet un rôle de médiation, qui est en même temps un rôle-charnière. Voilà donc un lieu animé par des gens qui par définition aiment beaucoup, je l'espère, les enfants. Ces intervenants ont à accueillir des petits enfants, mais pas longtemps. Il s'agit là d'une situation difficile, puisqu'ils sont inévitablement dans une position d'intermédiaire et d'attente, donc, insatisfaisante.

Ils doivent faire une évaluation diagnostique (c'est la partie souvent la plus gratifiante) et une intervention affective, tout en sachant que s'ils font peser trop lourdement leur affectivité sur l'enfant dont ils s'occupent, ils vont déclencher le désir d'investissement et entraîner, si l'enfant s'attache à eux, une dépression secondaire. Ils doivent par conséquent mettre en place un modus vivendi où ils n'apportent jamais à l'enfant exactement ce qu'ils voudraient lui apporter et où ils savent que l'enfant ne reçoit jamais exactement ce qu'il voudrait recevoir.

Les intervenants ont donc un rôle diagnostique à jouer, un rôle de soutien et d'accompagnement de l'enfant, et un rôle en vue d'amener une diminution des symptômes, en sachant bien qu'à partir du moment où cet enfant deviendra apte à être aimé, il faudra le laisser aller. Et dans le même temps, ils seront confrontés à une famille originaire qui, à certains niveaux, est persécutrice, mais s'ils la rencontrent, ils pourront découvrir une famille qui a vécu des drames antérieurs, donc des gens à aider et qui ne sont pas coupables (bien que responsables), quels que soient les abus commis à l'égard de l'enfant. C'est facile à dire ici, mais on sait combien le déchirement éprouvé par l'intervenant dans pareille situation peut être terrible.

Le rôle essentiel du consultant est de recréer chez les intervenants un espace pour penser.

P.R.I.S.M.E.: En pensant à votre expérience comme consultant auprès des équipes qui travaillent dans ces milieux et qui ont besoin d'un regard extérieur, d'un tiers, elles aussi, comment définiriez-vous ce rôle?

Dr Lemay: Les intervenants vivent des situations souvent très conflictuelles et c'est là, je crois, que se situe le rôle du consultant. Il faut dire au départ que si le consultant était dans l'institution, il serait aussi mal pris que le personnel.

Il s'agit de quelqu'un qui a des connaissances - même si les gens à l'intérieur des institutions ont souvent les mêmes - mais l'avantage du consultant, c'est qu'il occupe une position à l'extérieur d'où il va inviter les intervenants à un peu moins se coller aux symptômes -symptômes de la famille originaire, symptômes de l'enfant, rivalité dans l'équipe, etc.- en leur disant: *«Recréez un espace entre vous et l'objet de conflit, et réapprenez à penser et à régler les choses à l'intérieur de cet espace»*. Il me semble que le rôle premier du consultant est de proposer cet espace pour penser, où les intervenants puissent devenir à la fois plus objectifs et plus subjectifs par rapport à la situation.

P.R.I.S.M.E.: Un espace où l'intervenant puisse reprendre espoir. Y a-t-il des moyens ou des ressources que les institutions devraient mettre à la disposition des éducateurs pour qu'ils soient eux aussi accompagnés, et donc moins isolés?

Dr Lemay: Il y a des points de repère, en tout cas qui m'ont paru utiles quand j'ai travaillé comme éducateur. Il faut bien voir que la chance, mais en même temps le drame de l'éducateur (le mot pris ici dans son sens le plus général) qui se trouve impliqué dans le quotidien avec un enfant, c'est ce partage d'une tranche de vie, partage qui permet d'agir sur le milieu et sur le programme, de façon à ce qu'il réponde au rythme de l'enfant. Il y a là quelque chose de très fort, mais en même temps, le drame, c'est que l'éducateur n'est pas face à un enfant mais face à un groupe, et qu'il est perpétuellement percuté par les symptômes émergeant des souffrances à la fois individuelles et collectives de ces enfants.

L'éducateur est, je pense, vraiment en danger: danger par rapport à son propre équilibre, danger par rapport à des passages à l'acte qui peuvent exister, tant sur le plan de l'agressivité que de la sexualité, sur le plan de la vie pulsionnelle de manière générale, et sans qu'il soit le moins du monde *«tordu»*, mais du fait qu'il est impliqué très fortement dans le quotidien. Il faut donc lui assurer des temps de pause, lui procurer un lieu où il puisse parler, retrouver un espace pour penser. Ceci n'est pas forcément fait par un consultant, mais par un coordonnateur du service, ou encore par des moyens tels que des mini-recherches ou un séminaire.

Il faut aider l'éducateur à oser regarder ce que la rencontre avec le petit enfant réveille en lui.

P.R.I.S.M.E.: A propos de la formation de l'éducateur, quels en sont, selon vous, les aspects les plus spécifiques?

Dr Lemay: L'éducateur a besoin d'une formation qui soit sans doute théorique, qui implique des connaissances sur le développement de l'enfant, mais surtout, je crois qu'il doit pouvoir réfléchir aux outils qui sont à sa disposition, à ses attitudes, aux actes de la vie quotidienne qui sont les siens, par ex., comment un réveil ou comment un repas peut-il être utile? Et là, j'aime beaucoup cette phrase de Gendreau: *«Le défi de l'éducateur, c'est de transformer quelque chose d'insignifiant en signifiant»*. C'est tout à fait ça!

Constamment, l'éducateur se trouve dans des activités qui paraissent insignifiantes mais qui, en réalité, ont une signification très grande pour l'enfant, et pour lui-même. Il n'y a qu'à voir certains films de Geneviève Appell sur ce que l'on peut faire avec un enfant au moment d'un bain, en l'aidant à devenir lui-même créateur de son geste. La vidéo, en ce sens, est un instrument extraordinaire qui permet de se regarder et de regarder l'autre, se former donc à un certain nombre de démarches. Enfin, je crois que l'essentiel est d'aider l'éducateur à oser regarder ce que la rencontre, et non seulement celle avec le petit enfant mais aussi avec la famille, réveille en lui.

P.R.I.S.M.E.: Et surtout quand on pense à l'implication qui est attendue actuellement des éducateurs par rapport à l'intervention auprès des familles. En vous entendant parler de stabilité et de continuité, c'est toute la question du facteur temps dans l'intervention que vous soulevez. Qu'en pensez-vous?

Dr Lemay: Il y a actuellement une sorte de mythe autour de la quantification et qui existe d'ailleurs aussi bien au niveau de la recherche que de l'intervention. Il faut bien voir qu'un organisme vivant a son rythme propre, et en particulier dans le cas des carencés, je pense que l'intervention n'est valable que dans la mesure où on peut maintenir une stabilité dans la prise en charge. Dans ces cas de suivi prolongé, on joue le rôle de tuteur symbolique, celui qui aide au maintien des objets internes.

P.R.I.S.M.E.: On ne peut pas rattraper en quelques semaines des années de mauvais traitements. N'y a-t-il pas là une illusion entretenue par une société qui, se voulant tellement efficace et fonctionnelle, fait de la vie intérieure une chose mesurable? Ces éléments associés à des cures longues ne sont-ils pas sous-estimés actuellement?

Dr Lemay: Les faits montrent que pour certains sujets, c'est absolument nécessaire. La carence, c'est la pathologie du vide, la pathologie de sujets qui n'arrivent pas à bâtir d'objets à l'intérieur d'eux-mêmes pour développer une estime de soi et créer. C'est une illusion de penser qu'on puisse aider ce genre de pathologies par des thérapies brèves.

P.R.I.S.M.E.: En parlant du rôle de consultant et en pensant à ceux dont on pourrait attendre qu'ils jouent ce rôle, comment expliquez-vous le manque de consultants qu'on observe dans bien des institutions, le fait d'équipes qui sont laissées à elles-mêmes?

Dr Lemay: Je pense qu'il y a plusieurs facteurs en cause, et d'abord celui du petit nombre de psychiatres. Il est évident que les cliniciens sont écartelés entre de nombreux domaines d'intervention, et les institutions ne sont pas les seules où le manque se fait sentir; il n'y a qu'à voir les listes d'attente dans les cliniques.

Une autre réalité est celle de la formation du psychiatre qui était très centrée jusqu'à ces dernières années sur une approche individuelle. Bien des cliniciens éprouvent de la satisfaction à faire de la psychothérapie où il y a moins de problèmes d'interrelations avec d'autres praticiens.

Un troisième niveau d'explication tient, je crois, au fait qu'il y a des pathologies qui sont difficiles à *«aimer»*. Ce n'est pas un hasard, si l'on regarde les pathologies les plus délaissées par la psychiatrie à l'heure actuelle, de trouver la carence, la délinquance, et la déficience mentale. Il n'y a pas foule, et d'autant plus que des messages assez terribles ont été envoyés à l'égard de ces pathologies: Spitz lui-même était très pessimiste sur les récupérations possibles. Donc, on voit combien ces enfants sont mortifères.

Il y a encore un autre facteur: ce n'est pas facile de se situer dans une institution. Le psychiatre a l'habitude d'être le patron dans son bureau, alors que dans l'institution, il n'est plus le patron mais un employé qui doit se mettre au service de l'institution. Il n'a pas non plus à donner de directives: elles sont appliquées si on le veut bien, et d'ailleurs, ce ne sont pas des directives mais plutôt des interpellations qu'il fait.

D'un autre côté, l'institution n'est pas non plus toujours très accueillante à l'égard des psychiatres. Dans mon expérience, j'ai remarqué qu'il fallait deux ou trois ans avant d'être accepté. Avant, on vous dit beaucoup de gentillesses, mais l'acceptation véritable n'est pas faite. D'ailleurs, elle n'est jamais complètement faite, parce qu'on est un peu des *«empêcheurs de tourner en rond»*. Dans l'institution, on tente d'amener des gens à réfléchir sur des choses qu'ils n'ont pas envie de regarder, en même temps qu'ils ont très envie de le faire. Il y a quelque chose de l'ordre du désir, mais en même temps, du refus qui apparaît à ces moments, et le psychiatre doit le savoir. Et s'il le vit comme une attaque à son narcissisme, étant donné qu'il a beaucoup d'autres possibilités, il s'engagera plutôt ailleurs. Je pense que tous ces éléments s'additionnent.

P.R.I.S.M.E.: Les équipes doivent apprendre à collaborer avec les psychiatres, sans se sentir jugé ou méprisé. Mais le préjugé existe, à savoir que les médecins, et les psychiatres encore plus, possèdent le grand savoir devant des éducateurs, des puéricultrices qui, eux, ne savent rien...

Dr Lemay: Il y a le fait d'apprendre à se parler mutuellement. Il peut arriver que le psychiatre utilise un vocabulaire inadéquat en s'adressant à d'autres professionnels, vocabulaire qui est le fait, soit d'habitudes, soit d'utilisation de pouvoir. Mais en même temps, s'il ne l'utilise pas, le personnel n'est pas toujours très content. La situation, là aussi, est complexe.

Je bénis le ciel d'avoir travaillé comme éducateur, car c'est une expérience qui, même si on ne reste pas dans la profession, permet de comprendre que le symptôme dans le bureau, et le symptôme dans le vécu quotidien, c'est tout à fait différent. Par exemple, en tant que psychiatre, je suis assez bien placé pour comprendre la dynamique d'une personne, mais je suis très mal placé pour voir ce que cette personne fait de cette dynamique dans son quotidien. Si le psychiatre et l'éducateur comprennent que l'un est mieux placé pour voir la dynamique et faire des synthèses à partir de ce qu'on lui apporte, mais que l'autre est beaucoup mieux placé pour voir l'économie et à quoi cette dynamique aboutit dans le quotidien en termes de forces et d'entraves, il y a alors une complémentarité qui s'instaure et un enrichissement réel pour la compréhension et l'action qui s'ensuit.

P.R.I.S.M.E.: Outre votre engagement comme clinicien et comme enseignant, on sait par vos nombreux livres la place qu'occupent chez vous l'écriture et la recherche. Pouvez-vous nous parler de cette dimension de votre travail?

Dr Lemay: Je ne suis pas un chercheur dans le sens universitaire du terme. La profession de chercheur suppose une méthodologie et un investissement sur des variables très pointues, qui s'opposent en partie à un travail clinique où il faut avoir une vue d'ensemble. De ce point de vue, je ne me qualifie pas de chercheur. Mais par contre, si l'on veut dire qu'il m'a toujours paru fondamental de douter de ce que je faisais et de ce que je voyais, je crois que c'est là l'essentiel en recherche. Ce mouvement de scepticisme, qui est en même temps parfois un peu lassant, me paraît une attitude essentielle, parce qu'elle permet de mobiliser constamment son dynamisme. Je dis souvent: s'il y a une chose à laquelle je tiens, c'est à mon anxiété. C'est bien la force à laquelle je tiens le plus. C'est dans la mesure où l'on est insatisfait qu'on aura envie d'aller vers autre chose, et ne l'atteignant pas, de poursuivre, d'aller plus loin.

Il y a un point que je voudrais marquer ici: je pense qu'on méprise beaucoup trop à l'heure actuelle l'idée que le cerveau est tout de même le plus bel ordinateur qu'on ait trouvé! Le fait d'accumuler pendant toute une vie des impressions, des convergences et des divergences cliniques, amène à pouvoir poser des hypothèses, hypothèses qui ont une valeur scientifique. C'est ainsi par exemple qu'a pu se dégager pour moi l'existence du syndrome carentiel. C'est ainsi également que j'ai été amené peu à peu à découvrir que, selon certaines formes de pathologies, ce sont certains types de fantasmes qui apparaissent, et pas d'autres. C'est sur cette base que je me suis intéressé au fait qu'on n'anime pas de la même manière un psychodrame individuel, selon qu'on a affaire à telle ou telle pathologie. Ce fait de recevoir, d'intégrer, d'organiser peu à peu des données en fonction de tout un vécu professionnel, et bien sûr aussi personnel, données qui peuvent être réémises comme hypothèses et qui ont une valeur scientifique, je trouve qu'actuellement, la recherche néglige beaucoup trop ce type de démarche.

Par ailleurs, ce qui m'apparaît essentiel dans l'écriture, c'est que de pouvoir écrire à propos de ce qu'on fait, permet justement de recréer cet espace qui remet à distance, et qui a donc une fonction d'équilibration mais aussi de redémarrage vers autre chose. Il est sûr qu'en même temps, je suis gêné maintenant par certaines pages que j'ai écrites. Ce que je pensais, il y a 35 ans, n'est plus ce que je pense maintenant, et en particulier dans *Psychopathologie juvénile*, il y a certains chapitres que je préférerais ne pas avoir écrits. Mais c'est là le risque de l'écriture; il reste des traces et ces traces sont à abandonner pour aller vers autre chose.

P.R.I.S.M.E.: Aller vers autre chose. Quels sont vos projets, vos prochaines échéances à ce niveau?

Dr Lemay: La première est celle-ci: en association avec Maurice Capul, un psychologue qui a été éducateur une grande partie de sa vie à Toulouse, les Editions Privat nous ont demandé de faire un ouvrage sur les textes fondamentaux en éducation spéciale. Il s'agit d'une somme de réflexions sur l'éducation qu'on a appelée *«spéciale»* plutôt qu'éducation spécialisée. Ces textes abordent divers domaines: l'historique, les modes relationnels, le rôle des activités, le rôle du couple, l'approche par la famille, par l'équipe, etc.. Nous travaillons à ce livre qui devrait sortir en fin d'année prochaine.

Dans un travail suivant, à partir de la Clinique spécialisée pour enfants souffrant de symptômes autistiques de Sainte-Justine, je prépare un livre sur les syndromes autistiques; il s'agit d'une tentative de clarifier un peu ce qu'on entend par là.

Parmi les projets à venir ensuite, j'aimerais bien faire un livre sur la compétence parentale, et aussi écrire avec mon épouse sur le psychodrame et toutes ces expériences que nous avons faites depuis plus de 30 ans. Il serait aussi intéressant de revoir l'évolution de la pédopsychiatrie en considérant les courants qui, les uns après les autres, ont prétendu avoir la vérité et qui se sont évanouis. Peut-être serait-il intéressant de retracer cette histoire...❖

In this interview, Dr. Michel Lemay recalls his life and clinical experience and looks back at his adolescence during the Second World War in France and his years of medical formation at which time he worked as an educator in a residential treatment center. While considering several issues such as parental pathology and its consequences on child development, he discusses the implications of placement for very young children and the role of professionals who intervene in those cases.

Dr. Lemay is child psychiatrist, professor of psychiatry at the Université de Montréal and he has a Ph.D. degree in Literature. From 1960 to 1970, he assumed the direction of a youth center (La Prévalaye) and the Training Programme coordination at L'Ecole d'Educateurs spécialisés in Rennes (Bretagne).

At his arrival in Quebec in 1973, he was appointed at L'Ecole de Psycho-Education where he taught psychopathology for twelve years and from 1979 to 1986, he was director of the Residency Training Programme in the Department of psychiatry at Ste. Justine Hospital. Apart from his teaching and clinical commitments, he acted as clinical consultant in several residential treatment centres for children and adolescents where he is still involved. In 1991, he was nominated director of the Child Psychiatry Programme at the Université de Montréal and he is currently heading a specialized research unit for autistic children at Ste. Justine Hospital.

His researches and numerous publications deal essentially with diagnosis and therapeutic aspects of severe affective disorders in childhood, namely the maternal deprivation syndrome and its sequelae in adulthood, infantile psychosis and juvenile delinquency.

OUVRAGES DU DR MICHEL LEMAY

1973: **Psychopathologie juvénile.** Tomes I et II. Paris, Fleurus, Collection Pédagogie psychosociale, 1280 pages.

1976: **Le diagnostic en psychiatrie infantile: pièges, paradoxes et réalités.** Fleurus, Collection Pédagogie psychosociale, 308 pages.

1980: **J'ai mal à ma mère. Approche thérapeutique du carencé relationnel.** Fleurus, Collection Pédagogie psychosociale. 350 pages.

1983: **L'éclosion psychique de l'être humain. La naissance du sentiment d'identité chez l'enfant.** Fleurus, Collection Pédagogie psychosociale, 710 pages.

1987: **Les psychoses infantiles. Contenant déserté - contenant envahi.** 2 tomes. Fleurus, Collection Pédagogie psychosociale. 485 pages.

1993: **J'ai mal à ma mère.** Edition revue et augmentée. Montréal, Editions Sciences et Culture.

LES CENTRES JEUNESSE
Enjeux et défis professionnels et cliniques de la réforme

Pierre FOUCAULT

Docteur en psychologie clinique, l'auteur est impliqué depuis 25 ans auprès des jeunes en difficulté. Psychologue consultant puis conseiller aux services professionnels de l'Association des Centres d'accueil du Québec, il est actuellement consultant en gestion clinique auprès des intervenants du réseau.

Cet article a inspiré les principaux contenus d'une conférence présentée en mai 1994 dans le cadre d'une journée d'étude du comité multidisciplinaire des Centres jeunesse de la région de Québec.

Entreprise depuis bientôt deux ans, la réforme des Services de Santé et des Services sociaux s'applique en particulier aux services offerts aux jeunes en difficulté et parmi eux, aux jeunes en difficulté d'adaptation et à leurs familles.

Dans toutes les régions du Québec, cela s'est traduit, jusqu'ici, par d'importantes modifications des structures organisationnelles de services, et essentiellement par le regroupement de tous les établissements existants sous un Conseil d'administration et une direction générale. A cette nouvelle «macro-structure» qui permet d'asseoir à une même table tous les décideurs impliqués dans la gestion des services, une nouvelle «micro-structure» devrait bientôt concrétiser pour l'intervenant les orientations organisationnelles des Centres jeunesse.

Parmi les multiples possibilités offertes par la réduction des diversités (dont certaines, purement artificielles, depuis longtemps observées entre les organismes dispensateurs de services), la diminution des coûts qui devrait en découler, l'unification des centres de décision et la simplification des processus qui y conduisent, l'harmonisation des priorités et des objectifs opérationnels, sont quelques exemples des avantages qu'on est en droit d'attendre de ces importantes modifications de structure.

A lui seul, ce bouleversement des structures est majeur. Au-delà des inévitables tensions, insécurités et souffrances personnelles inhérentes à

L'auteur se fonde notamment sur l'expérience de six années de gestion clinique auprès d'éducateurs, de travailleurs sociaux et de cadres chargés d'intervenir auprès des enfants en difficulté et de leurs familles dans dix régions du Québec. Il formule un point de vue sur les enjeux et les défis professionnels et cliniques suscités par la réforme et il propose quelques pistes de réflexion sur les conditions cliniques à respecter pour en faciliter la réalisation.

tout processus de changement, l'actuelle réforme se révèle d'emblée porteuse d'espoirs à la mesure des attentes de tout un réseau.

Cet article met en lumière un aspect très particulier de ces multiples changements. Il propose au lecteur un cadre de réflexion clinique sur les enjeux et les défis qui confrontent aussi bien le professionnel intervenant, le consultant que le gestionnaire responsables d'assumer, selon leur rôle, la qualité des services dispensés par les Centres jeunesse. Il tente aussi d'attirer l'attention sur quelques pièges à éviter dans la réalisation de ces défis.

L'héritage qui fonde la réforme

Depuis 1971, avec la Loi sur les Services de Santé et les Services sociaux, l'Etat a pris la relève des instances (personnes, groupes ou communautés) qui, jusque-là, avaient assuré la dispensation des services aux enfants en difficulté. Les vingt dernières années auront mis en évidence nombre d'avantages découlant de cette «prise en charge étatique» des services. Pensons à une *distribution plus équitable selon les régions* et partant, au développement de services plus accessibles pour les jeunes et pour leurs familles. Pensons encore à l'énoncé de *règles générales de fonctionnement* visant à fonder les garanties minimales de protection et le respect des droits des enfants et à la généralisation de certaines règles de pratique. Pensons enfin à l'adoption et à l'*implantation d'un système de justice* pour mineurs parmi les plus progressistes au monde.

Toute médaille a cependant son revers. Il suffit d'avoir assisté au «spectacle» présenté dans le cadre du congrès de l'Association des Centres d'Accueil du Québec en 1982 pour garder une image indélébile du poids énorme des lois, règlements, directives, normes, règles de pratique, etc., qu'impose une grande bureaucratie sur toute organisation de services[1]. Un gestionnaire pouvait facilement, s'il n'y prenait pas garde, se retrouver complètement paralysé, muselé et à terme, simple exécutant de ce que d'autres, souvent très loin de ses clients, avaient en toute bonne foi, estimé opportun de faire pour eux. La qualité clinique des services aura pu quelquefois en souffrir.

La réforme actuelle est, on l'a assez dit, centrée sur l'usager. Elle devrait en conséquence inciter les organisations à *«retrouver, dans le dynamisme même des services créés il y a 20 ans, les facteurs d'unité, d'efficacité et de proximité de la vie quotidienne qui ont fait la force de nos institutions sociales pendant des décennies»*[2].

Ces trois facteurs *«unité»*, *«efficacité»* et *«proximité de la vie quotidienne»* serviront de cadre aux réflexions proposées dans cet article qui, de ce fait, s'inscrit comme un prolongement de celui qui vient d'être cité.

FACTEUR D'UNITÉ

Le développement d'un langage commun

Grâce à l'unification de la structure décisionnelle mise en place dans le cadre de la réforme, dans le prolongement de cette structure, l'unité indispensable à la qualité des services devra éventuellement s'étendre à l'*instrumentation* utilisée et aux *modalités mêmes d'intervention*, si tant est qu'on prétende rejoindre l'usager. Davantage, cette «unité dans l'action» devra se traduire prioritairement par le développement d'un *langage commun*, si l'on aspire à autre chose qu'à l'expression d'une nouvelle bureaucratie. Ce langage sera à la fois expression et source de la pensée commune. En effet, faute de procéder par consensus, toute forme d'unification ne pourrait que conduire au nivellement des façons de faire des multiples intervenants, avec les imparables conflits de pouvoirs qui ne manqueraient pas d'en découler.

Dans un article remarquable qu'on relira avec plaisir dans le numéro de P.R.I.S.M.E. de l'automne 1993, Claude Bilodeau[3] fait état des *«outils cliniques»* à développer et de l'obligation où nous sommes, si ces outils doivent remplir leur promesse, de *«commencer par donner un sens aux mots...*[4]*»* qui vont les désigner. Le projet est magnifique. Il est clair. Il est stimulant. Le défi est énorme, l'enjeu même de la réforme repose sur lui. À certains égards, il est même écrasant, car les pièges à éviter sont multiples.

Enjeux et défis du langage commun

1. L'identification et la priorisation des besoins de l'enfant

En effet, se donner une «compréhension commune», traduite dans un «langage commun» pour décrire et nommer les «besoins» de l'enfant et de son milieu, pour les prioriser et les relativiser en fonction du stade de «développement» où il est rendu, pour être capable d'y associer une mesure clinique du «rôle» assumé par ses parents et des effets observables des «rapports complexes» qui en découlent, et de là, convenir d'une «lecture commune de ce qu'est l'intérêt» de l'enfant, tel paraît être l'immense défi clinique à relever au cours des prochaines années.

Il n'y a pas lieu d'élaborer ici chacun de ces contenus. A tous égards, il ne pourrait s'agir, à ce stade, que d'une façon de voir et, aussi intéressante puisse-t-elle être, elle aurait exactement le défaut de ne pas être *commune*. Il semble plus prometteur, pour favoriser la suite de la démarche, d'indiquer les conditions dans lesquelles nous semble devoir se développer ce projet commun, si l'on veut relever le défi qu'il sous-tend.

Enjeux et défis du langage commun

2. Le développement d'un modèle commun

Le langage qui permettra de traduire adéquatement les besoins de l'enfant devrait référer à des *modèles communs* d'identification et de priorisation des «appels» de cet enfant.

L'*identification* implique de formuler la façon de répondre aux exigences de l'enfant en termes de *contenus directement* et positivement rattachés à sa vie. Divers modèles existent déjà à cet égard; ceux de Maslow (1972), Gesel (1973), Erikson (1968), Bellak (1969), Magura, Moses et Jones (1986) en sont des exemples. L'important pour l'unité de pensée des intervenants viendra davantage de l'implantation d'un modèle commun, même imparfait, que de l'adoption ou du choix d'un modèle objectivement «meilleur», mais qui ne serait pas celui de tous. Dans cette perspective, *«Sécurité», «Communication», «Contrôle», «Valorisation», «Appartenance», «Identité», «Réalisation»* pourraient, à titre d'exemples, être lus comme autant de «besoins» pour lesquels l'enfant doit recevoir une réponse adéquate au moment où elle est requise.

La priorisation de ces besoins impliquera l'adoption d'un *modèle développemental commun*, dont il importe ici encore qu'il soit partagé plutôt que «parfait», modèle où tous conviendront de l'ordre de priorité des réponses à offrir aux besoins identifiés. Pour faire image, il serait illusoire de travailler à développer l'«estime de soi» d'un jeune qui n'aurait pas encore acquis la réponse à ses besoins de contrôle de soi. Cela ne signifie pas que l'acquisition de ce contrôle n'aurait aucun effet sur son estime de soi, au contraire. Cela signifie que le personnel qui tenterait d'amener un jeune à atteindre l'estime de soi en escamotant le stade du contrôle internalisé le condamnerait et se condamnerait à un échec... dévalorisant pour tous.

Deux remarques à cet égard. Le modèle doit être commun, car laisser à chacun le choix de son modèle, c'est opter pour la cacophonie qui invalide toute continuité de l'intervention. Le modèle commun doit être un choix de gestion: croire qu'on puisse en faire l'économie, c'est oublier que «ne pas choisir de modèle», équivaut pratiquement à se laisser influencer, et quelquefois sans même en être conscient, par les multiples modèles qui, inévitablement, inspirent les intervenants.

En effet, si le langage ne sert pas à assurer la *continuité des gestes posés* en fonction d'une compréhension commune du sens des interventions, de leur séquence et de la priorisation des objectifs qui doit les régler, on n'ira pas beaucoup plus loin que dans la situation où chacun dispose d'une lecture, souvent bonne, sans parvenir à la partager avec son voisin.

Le langage sera commun le jour où, par exemple, l'évaluation faite par le DPJ statuant que le développement ou la sécurité de l'enfant est compromis au sens de la LPJ, permettra à tous les intervenants impliqués de décoder, sous le motif légal d'intervention, la même priorité de besoins de l'enfant et de sa famille. C'est à ces besoins qu'il faut trouver réponse, c'est pour y arriver qu'il faut développer des instruments complémentaires et il faut pouvoir le faire et revenir éventuellement en révision à la DPJ avec une lecture de la situation qui puisse, à son tour, permettre au réviseur de retraduire en termes légaux «la situation personnelle, familiale et sociale» de l'enfant et de son milieu.

Il est facile de le voir: le sens même de l'intervention dépend de la création, de la diffusion et de l'utilisation par toute la structure de services, d'un langage commun, véhicule d'une façon commune de «voir» et de «comprendre» l'enfant à aider et sa famille.

Trois dangers guettent cependant et peuvent devenir autant de pièges à éviter pour celui qui s'attaque à cet objectif.

Le piège à éviter :

1. Court-circuiter la formation d'un consensus

Paradoxalement, le premier piège est celui de l'efficacité(!), à court terme. Pour le gestionnaire, il lui vient d'abord de son échéancier. Dans un contexte de changements qui s'étendent sur des mois et même des années, la personne nouvellement confirmée dans son poste est soumise à d'importantes pressions pour «produire»; ses délais sont quasi invariablement définis par la capacité de ses co-gestionnaires à répondre aux «attentes» de la structure nouvelle. La tentation de couper court et d'«imposer» le langage commun est évidente.

Inutile d'insister davantage, l'implantation d'un langage commun suppose du temps: il faut accepter de passer par la mise en commun et le partage souvent difficiles des acquis disponibles. Personne en sciences humaines, ni en service social, ni en psycho-éducation, ni en éducation spécialisée, ni en psychologie, ne dispose d'un monopole de la vérité. Celui qui, sous prétexte d'efficacité ou autrement, voudrait imposer un langage commun, non seulement se priverait de l'expertise acquise au fil des ans par chacune des organisations existantes, mais il risquerait de «robotiser» ceux des intervenants qui ont une autre façon de «voir» et de «comprendre» le client. Le langage commun ne saurait être une question de «pouvoir» ou le résultat de tractations ou de jeux d'influences, car c'est l'efficacité même de l'intervention qui y serait laissée pour compte.

C'est par la formulation sans cesse reprise, revue et corrigée, des concepts qui sous-tendent les perceptions des intervenants qu'on peut espérer rallier ceux-ci et guider leurs perceptions vers une lecture commune valable.

A cet égard, nous ne pouvons qu'acquiescer sans réserve à la lecture présentée par Boudreau[5] quant au *«caractère confus et discrétionnaire des déterminants actuels du placement»* et à ses conséquences sur l'impossibilité (ou à tout le moins sur la grande difficulté) d'évaluer correctement les gestes posés. On pourrait, à notre avis, généraliser à plusieurs autres champs d'intervention ce caractère *«confus et discrétionnaire»* de nos déterminants cliniques.

Nous introduirons cependant une nuance quant à l'explication qu'il donne *«des résultats mitigés obtenus dans la bonne marche du processus de placement»*. Boudreau réfère en effet à des carences *«en raison de la fluidité et de l'imprécision des critères (de placement), de la complexité du processus et du manque de ressources alternatives appropriées.»* Cela nous amène au deuxième danger qui, à notre avis, guette celui qui veut implanter un langage commun.

Le piège à éviter :

2. Créer le langage par l'instrumentation!

Directement reliée au problème de l'échéancier, la tentation d'arriver au langage commun par la mise en place rapide d'instruments communs (protocoles, comités, codes et procédures, etc.,) est envahissante. Cette approche donne très souvent des résultats apparents, observables et mesurables. Elle facilite l'action des intervenants à court terme et donne une apparence de continuité. Il est difficile de sacrifier de tels «avantages» pour investir à plus long terme dans une «compréhension commune» du processus d'intervention, dans une pensée qui soit de nature à augmenter l'autonomie professionnelle des intervenants, autonomie qui leur permette d'intégrer les balises pour «uniformiser de l'intérieur» les gestes posés auprès de l'enfant et de son milieu.

Les instruments cliniques d'évaluation, les processus décisionnels, les critères permettant de décider de telle mesure alternative ou du placement, dans un cas donné, impliquent tous des décisions qui ne peuvent que *découler* d'une compréhension commune à tous les intervenants (et du langage qui l'exprime): *compréhension commune* de ce que sont les besoins de l'enfant, de ce que sont les responsabilités de ses parents, *compréhen-*

sion commune des rapports complexes qui en ressortent compte tenu de son niveau de développement, etc.. Toute démarche amenant à développer les instruments en espérant en tirer un langage commun est, à notre avis, «chronophage», «énergivore» et mène, ultimement, à un cul-de-sac. Elle conduit sinon à l'échec, du moins à un nouveau constat de l'inadéquation de ces instruments, à leur reformulation et à une inévitable démotivation des intervenants. Elle induit invariablement l'application en «cascade» des mesures prévues au «protocole», rendant l'organisation des services vulnérable parce que soumise à la dernière «mode clinique». Elle impose finalement à l'enfant d'être régulièrement l'objet d'une mesure qui risque d'être au moins «un temps» en retard sur sa situation actuelle.

Pour faire image, la plus belle instrumentation, (la plus belle plomberie, les meilleures soudures, la meilleure qualité de tuyau), se révélera vite non seulement inutile, mais nuisible à l'intervention, si elle a été conçue pour transporter de l'eau alors que le client requiert de l'oxygène. L'instrument, s'il n'est pas développé dans le prolongement d'une *lecture partagée des besoins du client et de son processus développemental,* nuira aussi bien à l'intervenant qui sera forcé de l'employer... Bientôt, il parlera de le modifier, il le doublera et son efficacité en souffrira.

Le piège à éviter :
3. «Cliniciser» le langage légal

Le dernier des trois dangers qui guettent, eu égard au langage commun, est propre au réseau des jeunes en difficulté et il nous semble directement lié aux deux premiers. Devant le manque de temps devant soi, le besoin de résultats rapides, les pressions énormes pour qu'«on fasse des choses», la tentation est grande de penser trouver dans le vocabulaire de la «Justice» la solution à tous nos maux. Vocabulaire imposé par le législateur, interprétation jurisprudentielle incontournable, impossibilité de décider opérationnellement sans y référer de toute façon, tout est en place pour que l'«abandon», la «négligence», l'«abus», le «trouble de comportement», «la responsabilisation» et on pourrait poursuivre avec tout le vocabulaire issu de la LJC, servent concrètement de langage clinique. Ce ne sont pourtant pas des besoins de l'enfant que décrivent ces concepts! Toutes ces réalités situationnelles recouvrent des *carences de réponses* aux besoins, certes; elles doivent orienter l'intervenant dans la lecture qu'il fera des besoins de l'enfant, certes; mais on ne saurait les réduire à ça.

Simplement à titre d'exemple, il y a beaucoup plus qu'une simple question de mots sous la description des divers processus d'intervention en situation d'abus sexuel utilisée actuellement dans le réseau. Il n'est pas indifférent qu'on y parle d'«abusé», d'«abuseur», de «victime», d'«agression», de «situation de pouvoirs», etc. Tous ces termes recouvrent des situations de besoins auxquels on n'a pas répondu. Mais il suffit de regrouper trois professionnels de disciplines différentes pour découvrir l'«univers» qui peut séparer la «lecture» des besoins sous-jacente à telle ou telle façon d'appréhender la réalité. Au point où certains verront, à bon droit, dans la façon d'intervenir qui découle d'une lecture donnée, un nouvel abus aussi grave, sinon pire, que celui qu'on veut, en toute bonne foi, corriger.

Ainsi, il n'est pas indifférent qu'un jeune de 13 ou 14 ans en soit rendu à se présenter, et à être présenté à la télévision, comme un «abuseur», un «agresseur» etc. L'intervention qui va en découler s'impose: il faut passer par la LJC ou le code criminel. Et pourtant, le jeune demeure, (malgré son geste inacceptable et qui doit être efficacement arrêté) beaucoup plus, infiniment plus que son seul geste! Il n'est pas un abuseur; l'abusé n'est pas un abusé; il n'est pas un agresseur; elle ou il n'est pas une victime. C'est là un langage que la justice utilise, sans doute avec raison, pour établir la responsabilité *légale* de ceux qui paraissent devant elle. Ce langage est par contre non seulement inopérant mais dangereux lorsqu'on l'utilise comme cadre de référence pour planifier une intervention clinique. L'intervention clinique ne saurait porter sur le geste posé; elle ne peut qu'en partir pour rejoindre le jeune (et son milieu) dans l'ensemble de leur situation.

En somme, il faut souhaiter que le remarquable et souvent difficile effort d'unification des structures entrepris dans le cadre de la réforme s'étende jusqu'au langage utilisé par les intervenants et à la compréhension qu'il révèle, de manière à leur permettre d'agir avec la continuité de pensée qui, seule, peut garantir le respect du jeune et de son évolution par toute la structure de services. Cela suppose un langage qui sera le fait de la mise en *commun continue* de toutes les perceptions disponibles des intervenants qui oeuvrent auprès des enfants et de leurs familles, langage qui servira de fondement au développement de l'instrumentation, et langage qui, sans nier le cadre judiciaire de l'intervention, décrira en termes cliniques cohérents la situation de l'enfant et de sa famille, au-delà de la réduction inévitable que lui impose une lecture «légale» de sa réalité.

FACTEUR D'EFFICACITÉ

Garantir la continuité de l'intervention

Une autre raison d'être de la réforme - il serait sans doute plus juste de dire sa raison d'être même- est de maximiser la rentabilité des services. On y arrivera en assurant d'abord leur efficience: la réponse offerte permettra de répondre aux véritables besoins de l'enfant et de sa famille. On fera ce qui doit être fait. On y arrivera en assurant aussi leur efficacité: la façon d'offrir le service, les modalités d'intervention seront telles qu'elles favoriseront la réponse recherchée aux besoins de l'enfant; à tout le moins, elles ne l'entraveront pas![6] Ce qui sera fait sera bien fait. On y arrivera enfin en assurant l'efficience et l'efficacité au moindre coût possible, sur les plans humain autant que financier.

Enjeux et défis de l'efficacité

1. Une finalité claire: le «pourquoi» de l'intervention

Le «pourquoi» de l'intervention, de toute évidence, dépend opérationnellement du langage commun dont il vient d'être fait état. Il réfère cependant davantage à la *pensée commune* qui doit soutenir le langage lui-même. Pensée commune qui ne peut trouver sa source que dans l'*unité des objectifs d'intervention* pour tous les intervenants impliqués auprès du jeune. Au plan clinique, malgré l'importance de nombre d'autres déterminants (légaux, organisationnels, administratifs) pour assurer la valeur de l'intervention, le consensus des acteurs sur la finalité poursuivie et sur les objectifs à atteindre pour y arriver ne saurait être surestimé.

Or, pour les Centres jeunesse, la finalité de l'intervention peut provenir de trois sources légales (la LSSSS, la LPJ et la LJC) qui, toutes trois, réfèrent ultimement à une seule et même finalité clinique. Celle-ci découle directement de la nature des besoins spécifiques de l'enfant auxquels les intervenants doivent contribuer à trouver réponse. Ce type de services devient requis lorsque le *degré des difficultés* vécues par le jeune dans son milieu est tel que des services spécialisés sont nécessaires pour assurer une réponse adéquate à ses besoins. On réfère alors à des services de deuxième ligne.

Le CPEJ dessert des jeunes qui font l'objet de placement, des jeunes en situation d'urgence sociale, en situation d'abandon, de négligence, d'abus ou de troubles sérieux du comportement, ou en situation de conflit entre leurs parents (à savoir, lequel des deux assurera la responsabilité légale des services mis à la disposition de l'enfant). Il dessert en plus les jeunes couverts par l'une ou l'autre des lois particulières. Le CR, de son côté, dessert des jeunes qui vivent des situations suffisamment perturbées pour que leurs liens avec leur entourage (maison, école, amis, et à la limite, l'ensemble social lui-même) soient rompus.

Dans l'un et l'autre cas, les deux types de centres interviennent donc lorsque, pour diverses raisons, (peu importe lesquelles à ce stade de notre réflexion), les parents ne sont plus en mesure d'apporter seuls une réponse satisfaisante aux besoins de leur enfant. La finalité clinique de l'intervention en découle et elle peut prendre deux formes: rétablir les parents dans leur capacité d'assumer leur rôle auprès de leur enfant, ou assurer à l'enfant la présence d'autres adultes qui joueront ce rôle de façon adéquate. Les droits reconnus à l'enfant par nos lois le confirment sans la moindre ambiguïté.

Pour y arriver, tantôt on interviendra auprès de l'enfant lui-même pour le rendre capable de recevoir ce que ses parents (ou de nouveaux parents!) lui offrent. Tantôt on interviendra auprès du parent lui-même pour l'aider à développer sa capacité de répondre aux besoins de son enfant. Le plus souvent, on devra faire simultanément les deux types d'intervention.

Le jeune qui fait l'objet d'un placement, par suite de rejet, de négligence, d'abus, etc., doit réintégrer son milieu familial et y trouver la réponse à ses besoins; le jeune abandonné, «adoptable», doit réintégrer un nouveau milieu parental; le jeune «que se disputent» ses deux parents doit réintégrer le milieu le plus apte à lui venir en aide; le jeune en rupture ouverte avec ses parents ou avec son école doit pouvoir trouver, dans ces milieux, ce qui lui est nécessaire pour y reprendre sa place; le jeune en rupture de ban avec la société doit réapprendre, avec l'aide de son milieu, comment il peut y vivre. En un mot: les gestes appropriés seront posés pour permettre au jeune *«de reprendre dans la société, sa place d'enfant, traité et aidé comme un enfant doit l'être»*. La finalité générale de toute intervention est claire: amener le jeune à réintégrer la société.

Deux situations particulières peuvent survenir et de fait, elles surviennent souvent. La première se présente lorsque le jeune ou son parent ne «veulent pas» ou ne «peuvent pas» jouer leur rôle. Le DPJ est alors légalement mandaté pour intervenir dans toute situation de ce type et imposer d'autorité au parent[7] le respect d'un minimum de réponse adéquate aux besoins de son enfant. La loi définit ces situations et le DPJ assume la lourde responsabilité de déterminer, ou de faire déterminer par le Tribunal au besoin, le minimum requis dans un cas donné. Cela dit, la finalité dans laquelle s'inscrit son action est clairement définie par la LPJ: *«Le parent demeure responsable de pourvoir au soin, à l'entretien, à l'éducation et à la surveillance de son enfant»* (art. 2.2.) et *«toute décision doit tendre à maintenir l'enfant dans son milieu parental»* (art. 4). Le DPJ, dans le cadre de son mandat de protection ne se substitue donc pas au parent; il tente au contraire, tout en garantissant la sécurité et le développement de l'enfant, de restituer le parent dans son rôle et de rétablir le «fonctionnement normal» de réponse aux besoins de l'enfant. La réintégration sociale de l'enfant (aux conditions minimales) est, pour lui aussi, la finalité clinique de son intervention.

L'autre situation particulière où il intervient se présente lorsqu'un jeune s'est rendu coupable d'une infraction relevant de la Loi sur les jeunes contrevenants. Il assume alors son rôle en vertu de cette loi et il se doit, comme tout autre intervenant, de poursuivre la finalité même de la loi, telle que décrite à l'article 16 (1.1): *«protéger la société»* et *«permettre la réintégration sociale de l'adolescent»*.

Au total, et le clinicien ne peut que s'en réjouir, les lois qui concernent le jeune en difficulté sont très bien faites. Elles obligent toutes à poursuivre ce qui se révèle être le besoin fondamental de tout jeune: trouver réponse à ses divers besoins auprès de ceux qui ont le plus de chances d'y réussir: ses parents. Le rôle des Centres jeunesse à cet égard devient très clair et heureusement des plus simples: aider les parents à jouer leur rôle en les outillant, et en amenant le jeune à recevoir ce qu'ils sont capables de lui donner.

Le piège à éviter :

Le «pris pour acquis»

Une pensée commune qui fonde une intervention centrée sur l'usager et ses besoins spécifiques ne peut, à notre avis, faire l'économie de cette première valeur fondamentale. Elle est d'une telle évidence que le piège est de la prendre pour acquis. Il est pourtant fréquent que les interventions ne tiennent pas encore toujours compte de cette réalité. Ni par mauvaise foi, ni même par ignorance, mais simplement parce que l'impact opérationnel de cette finalité n'est pas suffisamment *«passé»* dans les moeurs pour fonder l'action. La base de la pensée commune existe mais la pensée commune demeure à établir: le «pourquoi» de l'intervention en dépend encore très souvent.

Enjeux et défis de l'efficacité

2. Bien faire ce qui est fait: le «quoi» de l'intervention

Une fois convenu «ce qui» est à faire et dans des termes qui assurent une communauté de pensée à cet égard, la question demeure entière du *«Quoi»* faire pour arriver à garantir l'atteinte de cette finalité. L'efficacité suppose en effet que l'intervention sera bien faite compte tenu de ce qui doit être fait. A cet égard, encore une fois, la loi offre un indicateur important: *«Si, dans l'intérêt de l'enfant, le maintien ou le retour dans son milieu parental, (sa réintégration sociale) n'est pas possible, la décision doit tendre à lui assurer la continuité des soins et la stabilité des conditions de vie appropriées à ses besoins et à son âge et se rapprochant le plus d'un milieu parental normal».*[8]

Il est rare, dans nos lois, que le législateur s'aventure à fournir des contenus cliniques aux intervenants. Cette exception, à l'article 4 de la LPJ, révèle son importance. L'intérêt de l'enfant seul peut amener à déroger à la finalité générale du système de services. Mais on le fera alors en respectant le sens même du rôle que le parent assume lorsqu'il répond adéquatement aux besoins de son enfant: comme tout parent, on lui assurera en effet la *stabilité des conditions* de vie (donc des personnes, des valeurs et des orientations, etc.) et la *continuité des soins* (donc des gestes posés) appropriées à son âge et à ses besoins.

Il est difficile de voir comment on pourrait trop insister sur cette variable fondamentale de toute intervention de qualité auprès du jeune en difficulté. Ce qui le caractérise essentiellement comme client des Centres jeunesse, c'est d'être en situation de rupture et de conflits, donc en situation de discontinuité et d'instabilité par rapport à ce qu'il devrait recevoir de ses parents en réponse à ses besoins, compte tenu de son âge: c'est le motif général qui l'amène aux Centres jeunesse. Peu importe, à ce stade, la forme que peuvent prendre cette instabilité (éclatement des familles, incohérence des normes, absence de guides et de balises, abus divers, etc.) ou cette discontinuité (négligence, abandon, non-surveillance).

Toute aide efficace devra à tout le moins ne pas prolonger cette situation et, idéalement, rétablir des conditions de continuité et de stabilité telles que le jeune retrouve les assises d'un développement normal. De fait, tout le monde semble le reconnaître d'emblée: devons-nous croire alors que tout cela n'est qu'évidence?

Le piège à éviter :

Penser la continuité autrement que du seul point de vue de l'enfant

Là où l'évidence ne s'impose pas, c'est sur le sens opérationnel à donner à la continuité et à la stabilité. Le piège qui a fait dérailler maintes interventions au cours des dernières années est celui de la «continuité sur papier». Il est en effet possible de penser que la continuité et la stabilité sont valablement assurées, à compter du moment où une même personne ou un même organisme assure le suivi du «dossier» de l'enfant: les mêmes normes, règles, critères, procédures, processus et protocoles s'appliquant, l'enfant serait alors dans une situation de stabilité et de continuité. Rien ne saurait être plus illusoire. La continuité et la stabilité sont celles *vécues et ressenties* par l'enfant et son milieu, ou elles n'existent tout simplement pas. On pourrait dans bien des cas généraliser cette affirmation à la situation des parents de l'enfant.

Le fait d'avoir oeuvré directement auprès de jeunes pendant plusieurs années permet d'en faire l'affirmation catégorique: tout changement d'intervenant, tout changement d'unité ou de famille d'accueil, en un mot, toute décision qui a pour effet d'amener le jeune à devoir «coopter» avec un adulte ou un groupe d'adultes différent de celui qu'il connaît déjà, non seulement invalide l'action en cours, mais elle diminue sensiblement la possibilité, pour celui ou ceux qui vont suivre, de réussir à aider adéquatement ce jeune.

Au-delà du modèle de distribution retenu, l'organisation physique des services (et ici la restructuration entreprise dans le cadre de la réforme ouvre à des perspectives très prometteuses) doit être telle que ce n'est qu'exceptionnellement que le jeune ou sa famille devraient changer de professionnels.

> Il est si difficile au jeune en difficulté et à ses parents d'accepter de rentrer en relation que tout devrait être mis en place pour que le moindre embryon de relation soit jalousement protégé.

C'est dire que l'efficacité de l'intervention auprès des clients des Centres jeunesse repose sur trois grandes actions:

- une *évaluation clinique suffisamment précise* pour fonder une orientation assurant «le bon service au bon moment», peu importe sa «lourdeur»;

- une *organisation suffisamment souple* pour offrir le service requis, de manière à rejoindre et à suivre le jeune et le parent là où ils se trouvent et au moment où il le faut, et non obliger le jeune (ou ses parents) à s'inscrire dans une structure de services préformée;

- le *choix délibéré des professionnels* à convenir des modalités de leur intervention en respectant, autant que faire se peut, les conditions de continuité et de stabilité. À cet égard, reconnaissons que beaucoup reste à faire.

Enjeux et défis de l'efficacité

3. Une intervention plus précoce et mieux adaptée

Le respect de ces trois conditions aura les effets suivants: on interviendra plus vite auprès du jeune par une mesure mieux adaptée à sa réalité. La personne qui arrive à l'urgence d'un grand hôpital victime d'un arrêt cardiaque sera traitée aux soins intensifs, même s'il s'agit d'une première hospitalisation. Au-delà des modes ou des logos qui, tels des raz de marée, déferlent périodiquement sur le réseau de services, il n'en va pas autrement avec le jeune en difficulté. Nous ne pouvons espérer restaurer à 16 ou 17 ans des situations qu'on aura tolérées pendant plus d'une décennie sans intervenir.

L'intervention se fera plus rapidement et elle durera le temps qu'il faut pour atteindre sa finalité, mais au total, moins longtemps que maintenant. On met du côté du jeune toutes les chances d'entrer en contact avec la personne la plus apte à l'aider, parce qu'il aura été orienté rapidement vers le bon service. Le jeune devrait en conséquence se promener beaucoup moins dans la panoplie des ressources.

> À cet égard, l'application de la politique sur la mixité des clientèles[9] en CR répond sans doute à des impératifs importants, administratifs plus que légaux cependant. Elle peut obliger le jeune qui, après 5 ou 6 mois de suivi, résiste à l'influence grandissante d'une relation naissante et qui le manifeste par la commission d'une infraction ou d'une récidive, à reprendre à zéro, en milieu fermé, une démarche relationnelle dont on ne juge l'effet que sur ses symptômes. La même analyse vaudrait pour le placement par rapport à l'intervention à l'externe. On peut le comprendre: on peut aussi le regretter.

C'est le jeune et ses besoins qui feront l'objet de l'intervention et non ses gestes. Il ne sera pas traité au-delà de ce que ses gestes rendent nécessaire, mais c'est lui comme personne qui sera au centre de l'intervention. La spécialisation de l'intervention (pas nécessairement des services!) portera sur le jeune et ses besoins de développement plutôt que sur les problèmes à régler ou la façon de les comprendre. Ce n'est pas nier la nécessité d'une compétence réelle pour intervenir dans des difficultés spécifiques; c'est affirmer qu'on interviendra en priorisant le vécu partagé avec le jeune, au-delà de nos schèmes théoriques et conceptuels sur tel ou tel problème.

Un exemple pourra aider à synthétiser. Le geste du jeune «abuseur» dont il était fait état plus haut doit être arrêté: cela ne fait aucun doute. Il doit l'être de manière à ce que ce geste ne se reproduise plus mais aussi de manière à permettre au jeune de développer des modes interactionnels nouveaux. Le sens de l'intervention en dépend.

Dans l'hypothèse où, pour l'arrêter, on lui impose une mise sous garde en vertu de la Loi sur les Jeunes Contrevenants en arguant par exemple de la nécessité d'arrêter le «comportement abusif» dont il s'est rendu coupable et de le forcer à en développer de plus adéquats, on intervient de facto sur son «besoin de contrôle» et on utilise le moyen le plus adéquat pour le rétablir. L'intervention sera efficace... si on fait effectivement face à une carence du besoin de contrôle.

Dans l'hypothèse où le même jeune pose le même geste (aussi inacceptable et qui doit toujours être arrêté), non plus d'abord par manque de contrôle, mais parce qu'il n'a pas développé d'autres façons de traduire ses besoins d'attention et de sécurité affective, son inacceptable infraction ne sera jamais arrêtée efficacement par le moyen qui vient d'être décrit: au contraire, il y a tout lieu de penser que l'encadrement de plus en plus lourd qu'on lui imposera, par suite de ses récidives, lui permettra de trouver, dans une forme déviante il est vrai, la réponse à ses besoins de sécurité. Il agressera de nouveau pour trouver, dans l'encadrement imposé par la LJC, le cadre sécuritaire dont il a besoin. L'intervention aura servi... à le renforcer dans sa déviance!

Le piège à éviter :

Automatiser l'intervention

C'est dire que, si l'intervention doit être efficace, elle doit rejoindre le jeune et son milieu dans sa situation particulière, évolutive, là où il se trouve; il s'agit donc d'une lecture spécifique de ses besoins qui ne saurait se réduire à l'engager dans un processus préconçu, uniforme ou automatique, s'appliquant identiquement à toute intervention. Cette option exige du système une souplesse et une malléabilité qui présupposent l'autonomie professionnelle des intervenants. Elle suppose aussi leur proximité de la vie quotidienne des jeunes et du milieu.

FACTEUR DE PROXIMITÉ DE LA VIE QUOTIDIENNE

Le «comment» de l'intervention

Centrée sur l'usager, la réforme est déjà largement engagée dans une série de gestes qui auront pour effet de rapprocher sensiblement les points de services des usagers. À lui seul, ce mouvement est bénéfique et mérite d'être reconnu. Les conditions de proximité qu'il crée rendent possible de maximiser, dans la stabilité et la continuité qui en seront normalement facilitées, une plus grande adaptation de l'intervention à la réalité spécifique de l'enfant à desservir.

Les services seront dispensés dans le milieu du jeune autant que possible, avec les ressources disponibles dans son environnement, de manière à ce que la relation avec cet environnement soit rétablie et puisse durer. Fondée sur les éléments qui vont demeurer après la fin de l'intervention, la relation recréée a effectivement plus de chances de durer. Etablie grâce à des instruments déjà connus du jeune et de sa famille, elle devrait être plus facile à remettre en fonction. Cependant, cet atout important ne peut jouer que si les conditions de proximité de la vie quotidienne sont respectées.

Enjeux et défis de la proximité

1. Rapprocher de l'enfant le centre de décision clinique

Le rapprochement de l'enfant et de ses parents des centres de décision clinique est la première de ces conditions. L'intervention clinique auprès du jeune en difficulté en est une d'accompagnement, de modeling, de «faire avec», d'aide, de conseil et d'assistance, de discipline et d'encadrement, de surveillance et de contrôle. Aucune de ces activités ne se fait à distance, en tous cas, pas à long terme et certes pas efficacement, si ce n'est en toute fin d'intervention.

Il faut se rappeler que le rétablissement des capacités relationnelles du jeune est la finalité de l'intervention. En conséquence, «l'inter-venant» doit littéralement «venir entre» le jeune et ceux avec qui il est en rupture ou en conflit de relation; il doit pouvoir se servir de sa capacité personnelle de relation avec le jeune et de relation avec le parent pour leur apprendre à généraliser entre eux l'expérience qu'ils partagent avec lui.

Décrire ainsi l'intervention clinique auprès du jeune en difficulté, c'est affirmer que l'intervenant doit disposer de tout ce qui lui est nécessaire pour porter, à répétition et quotidiennement, des jugements prudentiels difficiles dans des situations souvent très complexes. Exiger une telle disponibilité des intervenants entraîne quelques conséquences organisationnelles.

Faute de pouvoir décider par lui-même de ce qui doit être fait «ici et maintenant», sur le terrain, en présence, l'intervenant sera vite paralysé et il ne pourra que suivre le jeune: il ne le guidera plus. Moins astreignante lorsqu'il travaille en double présence, cette contrainte devient primordiale en travail individuel avec le jeune ou le parent. Plus techniquement, on dira qu'une intervention de qualité auprès du jeune en difficulté impose à l'intervenant de pouvoir gérer les paramètres cliniques, légaux et organisationnels de son intervention.

Enjeux et défis de la proximité

2. Gérer les paramètres de l'intervention

Les structures de services cliniques («programmes», «qualité des services», «DSP», «activités», peu importe le nom qu'on leur aura donné dans la structure choisie) et les structures organisationnelles de l'établissement sont des «services support» à l'intervention: elles ne peuvent ni en décider, ni la diriger (à moins de coûts exorbitants), ni la contrôler ou l'évaluer directement, mais tout au plus l'organiser et, ici encore, de façon globale, à moins de coûts et de lenteurs inacceptables.

La seule voie disponible d'intervention efficace consiste à rendre l'intervenant autonome et responsable de son intervention. À son niveau, il doit disposer des *balises légales* qui servent de cadre à cette intervention: le sens général de ce qu'il doit faire, les limites à sa présence dans la vie privée du jeune et de sa famille et l'offre de services à faire en découlent directement. Mais, nous l'avons vu, cela est insuffisant. Il doit aussi disposer de *balises cliniques*: savoir «lire», dans l'action, les multiples manifestations quotidiennes de besoins insatisfaits du jeune et de ses parents, leurs appels à l'aide, leurs défenses et leurs moyens de protection contre la peur, leurs régressions, leur méfiance, et on pourrait poursuivre encore.

Le langage commun et la pensée commune dont nous avons fait état plus haut apparaîtront ici tout à fait indispensables à la capacité de l'intervenant d'utiliser, au jour le jour, le support clinique mis à sa disposition par l'établissement. Il doit enfin, cela s'impose, disposer des *balises organisationnelles* nécessaires à la mise en commun, là où elle s'impose, et au contrôle et à l'évaluation de l'intervention dont l'établissement demeure responsable.

Le piège à éviter: 1. Tenter d'intervenir «par procuration»

Le danger qui guette ici est de croire que la structure organisationnelle de l'établissement peut faire l'intervention «par procuration» en quelque sorte. Les codes, procédures, protocoles, normes, règles de pratique, etc., sont tous des instruments nécessaires. Personne ne le nie. Ils ne peuvent cependant avoir pour finalité de dicter, dans le quotidien, le «comment» de l'intervention, sans que l'intervenant ne se retrouve paralysé par la bureaucratie, et ceci même avant d'avoir réussi à les appliquer. Mais dans l'hypothèse farfelue où cela marcherait, on obtiendrait une relation par procuration. Le jeune ne s'y laisserait pas abuser et le parent non plus: c'est l'échec garanti. Il suffit d'y réfléchir pour saisir l'antinomie.

C'est précisément ici que se situe «le statut de clinicien» de l'intervenant. Il est en relation vivante, journalière, avec des personnes qui vivent, réagissent, sentent et qui évoluent sans cesse. Il met sa propre capacité de vivre, de réagir, de ressentir et, on l'espère, d'évoluer au service de celle de son client. La bureaucratie, clinique ou organisationnelle, doit supporter et canaliser cette activité; elle ne saurait, en aucun cas, s'y substituer.

Le piège à éviter: 2. Le contrôle de l'information

Toute personne qui se sert de l'information pour «contrôler», divisant au besoin les tenants de positions contraires aux siennes, ou qui tente de se «faire du pouvoir» en distillant à l'un ce qu'elle refuse à l'autre, élargit peut-être son influence. Elle contribue néanmoins, peut-être même involontairement, à invalider l'efficacité et la qualité des services offerts. La gestion des services cliniques doit être clinique. Elle doit rendre possible à celui qui intervient de planifier, d'organiser, de diriger, de contrôler et d'évaluer les gestes qu'il pose auprès du jeune et de son milieu.

Le piège à éviter : 3. Le contrôle de l'information 2

Inutile d'insister sur ce point qui suppose cependant en contrepartie du personnel intervenant qu'il accepte de rendre compte de ce qu'il fait, du pourquoi il le fait et de la façon dont il le fait. La *disponibilité* du personnel à faire de son intervention l'intervention du centre, son *ouverture* à rendre compte de sa responsabilité, sa *confiance* en l'utilisation qui en sera faite et sa *loyauté* face à l'organisation qui l'engage et qui lui fait confiance sont des conditions essentielles au bon fonctionnement du modèle.

Enjeux et défis de la proximité

3. Assurer le support relationnel

C'est dire qu'en plus d'un centre de décision clinique aussi proche que possible du client, le rapprochement de la vie quotidienne ne sera possible que si l'intervenant dispose de l'outillage pour créer la relation qui permettra au jeune client de rétablir les ponts avec son entourage. C'est ici qu'entre en ligne de compte, pour l'établissement, la responsabilité d'assurer à son personnel la formation continue, le perfectionnement et, par-dessus tout, l'encadrement professionnel indispensables à l'établissement et au maintien d'une relation de qualité.

Formation et perfectionnement: *des nécessités*

La formation et le perfectionnement doivent évidemment assurer le maintien des connaissances, des techniques et des habiletés requises à une intervention de qualité. La formation et le perfectionnement doivent aussi être de nature à favoriser le développement des attitudes qui permettent l'établissement et le maintien d'une relation de qualité. De ce point de vue, la restructuration provoquée par la réforme ouvre à des perspectives plus qu'intéressantes. La masse critique des expertises et des compétences disponibles n'a pas changé mais son unification sous une seule direction devrait en faciliter la mise en valeur et la généralisation. Ce que nous disions plus haut de la nécessité de conserver les acquis au-delà des différences trouve ici encore tout son sens.

Le piège à éviter:

1. L'autarcie; l'isolationnisme

Pour citer Tom Peters[10]: *«Si vous trouvez un «outsider», suppliez-le de se joindre à vous»*. On ne demeure pas longtemps proche de la vie quotidienne en ne s'appuyant que sur des gens qui partagent notre propre vision et notre propre culture d'intervention. Le danger qui guette toute organisation, et l'organisation clinique n'y échappe pas, c'est de se complaire dans sa vision et sa perception de la «bonne façon» de faire, en évitant, autant que possible, d'être «dérangé» par l'apport de points de vue ou de perspectives qui, à l'occasion, bousculent les acquis. L'asphyxie guette le poisson dont l'eau ne se renouvelle pas; de même, elle guette, à court terme, l'intervenant et l'organisation qui n'ont pas accès à des stimuli constants, les «obligeant» à repenser et à resituer leur intervention.

L'encadrement professionnel: *un incontournable*

Dans cette perspective, il sera maintenant facile de saisir l'enjeu véritable et la portée de l'encadrement professionnel. S'il est clair que la relation autonome et responsable d'un intervenant qui sait où conduire son client, fonde ultimement l'efficacité même de l'intervention, il n'échappera à personne qui a vécu tant soit peu ce type de relation, que la charge imposée à l'intervenant est énorme, quelquefois même démesurée.

Le jeune et le parent dont l'histoire de ruptures est telle qu'ils ont appris à se protéger de la «souffrance d'être en rapport» avec un interlocuteur inadéquat n'acceptent jamais facilement de risquer à nouveau la relation. Ils la refusent a priori, ils la boycottent, ils la sabotent; puis, au mieux, ils la tolèrent et, au fil des expérience positives vécues et répétées, ils acceptent petit à petit de s'ouvrir, une fois encore. Et alors, ils testent, retestent et vérifient jusqu'à provoquer le rejet, pour se confirmer que leur passé a toujours un sens, qu'ils ont eu raison de se fermer.

L'intervenant dont la responsabilité est de percer ces défenses pour s'introduire dans cet univers mortifère de souffrance, de désespoir et même de désespérance doit être prêt à partager cette souffrance, ce désespoir et, à la limite, leur ouverture à la mort. C'est là et là seulement qu'il pourra les rejoindre et, de là, avec lui, les aider à en sortir. Inutile de dire qu'il vivra, à répétition, des heures de souffrance, de détresse, de désespoir, de peurs et de confrontations à ses limites et à ses propres angoisses de mort. Seul, isolé, il n'a aucune chance de supporter le fardeau énorme que la relation avec le jeune en difficulté et son milieu va lui imposer.

Quelquefois mais plus rarement, il pourra arriver que l'intervenant laisse tomber et se contente d'une présence superficielle auprès de l'enfant ou du parent, en voulant se protéger au mieux de coups trop durs. L'efficacité de son intervention fond alors comme neige au soleil. La démotivation et le désintérêt suivent et bientôt il ne croit plus à ce qu'il fait, à la possibilité de venir en aide à ces personnes. Il se rabat sur les règles, normes, procédures, etc., et il aspire à autre chose. C'est normal.

La plupart du temps cependant, avant d'en arriver à ce type de désinvestissement, l'intervenant se sera, à maintes reprises, laissé toucher par la désespérance de son client; il lui aura permis de voir sa propre souffrance et comment, en surmontant son désespoir et ses limites, il peut lui montrer la voie pour échapper à son propre univers de désespoir. Or cela n'est émotivement et bientôt physiquement possible, tous les cliniciens le savent, que si cet intervenant dispose des moyens de s'objectiver dans cette aventure, de décoder sans cesse les indices de progrès ou de régression que lui traduit son client, de pouvoir discerner les moments où il doit faire preuve de patience de ceux où il lui faut forcer le mouvement, etc..

Déjà complexe avec un seul client aussi exigeant, la tâche devient tout simplement impossible quand l'intervenant doit s'adapter, à répétition, au niveau relationnel propre de chacun des 10, 15, ou 25 clients dont il est responsable... à moins de pouvoir, au besoin, tabler sur la présence compétente d'un autre clinicien, suffisamment loin de l'action pour ne pas être lui-même aux prises avec les tensions à soulager, mais suffisamment proche pour être capable de maintenir le sens de l'intervention, faire la lecture objective de ce qui s'y développe et apporter le support nécessaire pour que l'intervenant puisse prendre les décisions appropriées et, là où cela s'impose, être protégé d'un faux pas qui le briserait émotivement ou professionnellement.

Dans ce contexte où l'encadrement professionnel qualifié vient fonder la sécurité clinique de l'intervenant par une communication ouverte et sans arrière-pensée, il est légitime de croire que l'intervenant, non seulement pourra assumer le contrôle adéquat de son intervention, mais qu'il y trouvera aussi les sources de sa valorisation, de son appartenance à l'organisation, de son identité professionnelle et bientôt, de sa réalisation personnelle et professionnelle. Sa motivation en ressortira grandie; son implication auprès de la clientèle deviendra plus effective et, au total, sa compétence au service des objectifs de l'établissement sera un atout dont tous profiteront.

Le piège à éviter:

2. Confondre autonomie clinique et professionnelle et autonomie organisationnelle

Celui qui, après avoir fort justement reconnu la nécessité de l'autonomie clinique et professionnelle des intervenants, la rejetterait pour des motifs d'économie ou faute d'en savoir faire un encadrement approprié, par exemple, en imposant une «autonomie organisationnelle» qui équivaudrait concrètement à isoler l'intervenant, invaliderait une structure de services pourtant fort prometteuse. Les besoins spécifiques des jeunes à desservir et de leurs familles sont ici au coeur du processus décisionnel qui fonde toute organisation de services de qualité.

Conclusion

La réforme des Services de Santé et des Services sociaux rend possible, plus que jamais, de développer et de maximiser l'interrelation des facteurs d'unité, d'efficacité et de proximité de la vie quotidienne qui, seuls, peuvent garantir la qualité de l'intervention spécifique à assurer aux jeunes en difficulté et à leur milieu.

Nous aurons tous à faire les choix qui s'imposent pour en garantir la réalisation. Il s'agit là d'un projet à la mesure des compétences et des idéaux professionnels des intervenants regroupés par la réforme. Il s'agit là aussi d'un défi énorme. Pour être relevé, il mettra à l'épreuve leur motivation, et aussi bien dire leur croyance dans le fait que seule, une adaptation rigoureuse de la structure de services aux besoins cliniques du jeune, rendra possible qu'il soit réalisé.

Bien assumé, ce long travail permettra à ceux qui, dans vingt ans, regarderont ce qui aura été accompli, de reconnaître qu'on aura su conserver, au besoin retrouver, sous la structure unifiée voulue par le législateur, l'esprit d'entreprise de ceux qui nous ont précédés comme dispensateurs de services, leur proximité du milieu, leur préoccupation constante à répondre aux besoins des enfants, sans tomber dans la bureaucratie des grandes organisations, sans s'inféoder à la «lecture» d'un seul (administrateur, gestionnaire, clinicien, «gourou» ou autre) comme étant «la» source de «toute compétence» ou de «toute» vérité, tout en mettant en synergie les forces vives de chacun.

En un mot, le projet de former un «établissement» centré sur «une» clientèle où l'organisation simplifiée autour d'«un» objectif commun est ordonnée au support de l'intervention la plus adaptée à ses besoins, est un enjeu magnifique, c'est un défi... qui ne demande qu'à être relevé!❖

This article is based on the author's experience as clinical consultant for educators, social workers and administrators from several regions of Quebec who intervene in the cases of children and families burdened by psychological and social difficulties. When outlining the three main factors (unity, efficacy and proximity) given as a framework for his analysis, the author discusses the clinical and professional challenges recently raised by the Reform of Health and Social Services. He further proposes a few tracks of reflection on the clinical conditions that should be respected to facilitate the realization of this reform.

Notes

1 Le Directeur général d'un grand centre de réadaptation est entré sur scène, très digne, avec une brouette qui ne contenait pas moins d'une douzaine cahiers àanneaux de 6 pouces où étaient regroupées, pour les fins de sa démonstration, l'ensemble des obligations qui lui incombaient à ce titre!

2 FOUCAULT, P.; (1993). Héberger, Corriger, Réadapter... Une histoire des mesures de protection pour les jeunes au Québec. P.R.I.S.M.E. automne 1993, Vol 3, no 4. pp. 462-477.

3 M. Bilodeau est Directeur général de l'Association des Centres jeunesse du Québec (ACJQ) et ex-Directeur de la Protection de la Jeunesse du Montréal-Métropolitain.

4 BILODEAU, C.; (1993). Ne tirez pas sur le «placeur»!. P.R.I.S.M.E. Automne 1993, Vol. 3, no 4. pp. 480-489.

5 BOUDREAU, J.; (1993). A-t-on le choix? Des mesures alternatives. P.R.I.S.M.E. Automne 1993, Vol. 3, no 4. pp. 490-499.

6 Le lecteur aura évidemment compris que l'efficacité clinique des services dont nous faisons état ici n'infirme en rien les conditions d'efficacité administrative (meilleur coût, moindre dépense humaine et énergétique, accessibilité au tribunal, etc.), au contraire, elle les présuppose.

7 On relira au besoin le rapport «Jasmin»: «LA PROTECTION DE LA JEUNESSE: PLUS QU'UNE LOI», p. 39. Québec: janvier 1992.

8 LRQ 1991, Chap. P.34.1; (LPJ) art. 4 .

9 La politique sur la mixité oblige à séparer les jeunes contrevenants mis sous garde en milieu fermé ou en détention provisoire des autres jeunes hébergés en milieu ouvert, ou en protection, ou en vertu de la LSSSS.

10 PETERS Tom, (1992); Liberating the Management. New-York: Alfred Knopf inc. Cité par Jean-Marc Salvet; (1993): Vers l'organisation du XXIième siècle. Québec: Presse de l'Université du Québec.

Références

Bellak L, Hurvich M. A systematic study of ego functions. **J Nerv Ment Dis** 1969;148:569-685.

Erikson EH. **Identity, youth and crisis.** New York: Norton, 1968.

Gesell A, Ilg FL, Bates-Ames L. **L'adolecent de dix à seize ans**. Paris: PUF, 1973.

Magura S, Moses BS. **Outcomes measures for Child Welfare Services: theory and applications**. Washington: Child Welfare League of America, 1986.

Magura S, Moses BS, Jones MA. **Assessing risk and measuring change in families: the Family Risk Scales**. Washington: Child Welfare League of America, 1987.

Maslow AH. **Vers une psychologie de l'Etre**. Paris: Fayard, 1972.

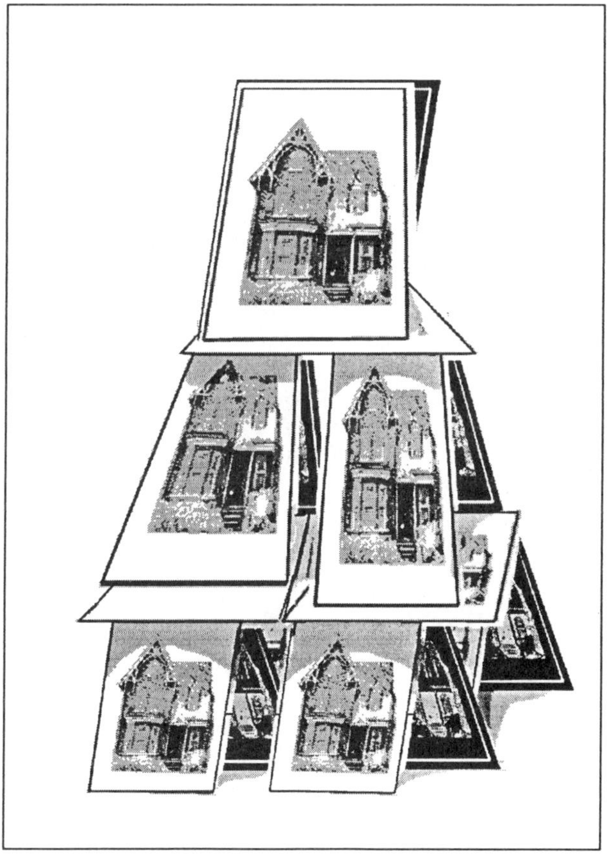

Leduc, «Patience autour d'un temps d'équilibre», 1994

P.R.I.S.M.E. été 1994, vol. 4, nos 2-3

La répétition intergénérationnelle ou la résistance au changement de cap

Louise DORÉ

Mme Doré est psycho-éducatrice et chef de service social enfance/famille aux Centres jeunesse de Montréal. Elle est psychothérapeute d'orientation analytique et exerce en pratique privée.

La répétition intergénérationnelle de situations conflictuelles et douloureuses prend racine dans la *compulsion de répétition*. Cet automatisme s'inscrit dans le registre de l'agir et est adopté inconsciemment par l'individu pour se protéger contre les émois refoulés liés à des événements générateurs de souffrance.

Considérations théoriques

Dans les écrits de Freud

Une revue des écrits de Freud sur la compulsion de répétition nous amène à constater que le père de la psychanalyse a développé sa pensée en observant les manifestations de ce phénomène sur une échelle de plus en plus large. Sa réflexion sur la répétition prend racine à l'intérieur même du transfert qu'il a commencé à observer à partir du cas d'Anna O., suivie par Breuer *(Etudes sur l'hystérie, 1895)*, alors que vers la fin de sa vie, il étudie le phénomène répétitif dans l'histoire collective de l'Humanité.

Voici un survol rapide d'oeuvres que nous considérons comme significatives dans le cheminement de Freud sur le sujet et qui s'échelonnent entre 1905 et 1939.

La répétition d'une génération à l'autre d'attitudes ou de comportements destructeurs engendre un processus de stagnation, voire de désintégration de la vie. Contrer la récurrence de telles tendances exige force, conscience et énergie, et passe inévitablement par un deuil douloureux que le sujet doit faire en revisitant son histoire pour en accepter les manques aussi bien que pour reconnaître ses propres limites.

Après avoir décrit la fonction de la répétition et le désir paradoxal qui s'y joue, l'auteure propose que toute démarche vers le changement implique un travail permanent qui pourra amener le sujet à se dégager du cycle mortifère de la répétition et accéder à une vie moins souffrante et surtout davantage ouverte à la nouveauté et à la générosité.

Dans *Le cas Dora* (1905), il considère le transfert comme la répétition d'émois passés dans le présent du sujet, puisque le conflit y est rejoué à l'intérieur de la relation de l'analysé avec l'analyste.

En 1912, dans *La dynamique du transfert*, Freud parle de la reproduction en actes, dans la vie courante, d'émois refoulés, et particulièrement dans la manière pour chacun de vivre sa vie amoureuse comme une réédition de faits survenus dans l'enfance, et qui est appelée à se répéter tout au cours de sa vie selon des prototypes, comportant une partie consciente et une autre, inconsciente. C'est en ce sens que Freud situe le transfert comme un facteur essentiel à la réussite du traitement, et à la fois, comme le plus puissant agent de la résistance déployée par le sujet en cours d'analyse.

Totem et Tabou paraît aussi en 1912. Partant des liens étroits qu'il établit entre le totem et le tabou, Freud a tenté ici de déduire le sens primitif du totémisme, d'en saisir les traces au cours du développement des enfants. Il en conclut que, même sous une forte répression, une tendance subsiste à travers les âges, laissant des traces qui deviennent à leur tour le point de départ de diverses réactions ultérieures.

Deux ans plus tard (1914), dans *Remémoration, répétition et perlaboration*, Freud reprend l'idée de répétition à laquelle il attribue le sens d'une compulsion à agir un passé douloureux plutôt que de s'en souvenir. Il souligne l'importance du transfert comme moyen pour vaincre la compulsion à répéter: le thérapeute aidera son patient à maintenir la lutte pour et par la remémoration, en traduisant verbalement ce qu'il serait tenté de liquider dans l'agir. Prenant appui sur les réactions de répétition qui apparaissent dans le transfert, les souvenirs surgissent, sont exprimés et interprétés, ce qui permet d'enrayer l'agir répétitif à l'intérieur même de la relation entre l'analysé et l'analyste. L'agir fait ainsi place à la mentalisation.

Dans *Observations sur l'amour de transfert* (1915), Freud définit la relation transférentielle amoureuse d'une patiente sur son analyste comme la réédition compulsive de fixations infantiles qui représente comme telle une forme de résistance: la patiente traduit en actes et reproduit dans la relation ce qui devrait être de l'ordre du souvenir seulement. Ces fixations infantiles non liquidées que la patiente rejoue dans les sentiments amoureux qu'elle éprouve pour son thérapeute l'empêchent de disposer librement de sa faculté d'aimer; cet agir répétitif et compulsionnel ne connaîtra un terme que par l'analyse du transfert et par l'expression des émois liés au vécu infantile. Ainsi pourra-t-elle aimer de façon plus dégagée et authentique.

En 1919, dans *L'inquiétante étrangeté*, Freud expose le caractère non intentionnel du retour du familier, et la sensation étrange créée par ce «retour du même» qui suscite de l'inquiétude, voire de l'angoisse chez le sujet. Il commence alors à développer l'idée que la vie psychique est dominée par une compulsion de répétition qui se manifeste chez le petit enfant déjà, et que tout ce qui peut la rappeler, soit dans la réalité matérielle (sensation de retour à un même lieu par exemple), soit dans la réalité psychique (retour d'un contenu refoulé, donc retour réel du familier) est ressenti comme étrangement inquiétant.

Au-delà du principe du plaisir, publié en 1920, est considéré comme l'article principal écrit par Freud sur la compulsion de répétition. Non seulement il révise sa théorie des pulsions, mais il remet en question le principe de plaisir comme principe de base de la vie psychique, en supposant qu'il doit exister un principe au-delà du principe du plaisir, qui conduit à une satisfaction, à un soulagement de la tension. Son attention est en effet attirée par des situations qu'il ne peut expliquer à partir du principe de plaisir, en raison de la répétition d'un déplaisir qui se trouve vécu par le sujet, dans les rêves traumatiques, par exemple, ou encore, dans les jeux d'enfant ou dans le transfert. Il émet alors l'hypothèse de l'existence d'un autre principe animant l'être humain: dans tout organisme vivant se retrouverait une nécessité de répéter et ce principe serait antérieur au principe de plaisir. Poussée à l'extrême, cette tendance à la répétition conduirait à un arrêt (mort) ou encore, à un retour à un état antérieur sans tension correspondant au principe de nirvana. Or, la vie implique mouvement, tension, et on voit donc la dualité des principes qui animent la vie psychique.

Dans *Inhibition, symptôme et angoisse* (1926), Freud situe l'angoisse et les autres affects qu'il rattache à la reproduction d'événements anciens. Selon lui, l'angoisse originaire s'ancre principalement dans le traumatisme de la naissance, i.e. de la séparation d'avec la mère. Tout état d'angoisse serait une reproduction de ce traumatisme, et les autres affects, des reproductions d'événements anciens très importants. Le refoulement serait une tentative de fuite devant une motion pulsionnelle dangereuse. Si la situation de danger se modifie et qu'ainsi le moi n'a pas à se défendre, arrive quand même l'automatisme de répétition, comme si le danger persistait: la motion pulsionnelle suit alors les mêmes voies que celle qui a été autrefois refoulée. Donc, dans le refoulement, le facteur de fixation est la compulsion de répétition. Pour défaire ces fixations, le moi doit abandonner ses résistances et surmonter l'emprise de la répétition qui, selon Freud, prendrait racine dans le sentiment de culpabilité ou le besoin de punition.

Freud élabore cette conception dans ses *Nouvelles conférences d'introduction à la psychanalyse* (1933) en soulignant le caractère «démoniaque» et auto-punitif de la compulsion de répétition. Pour Freud, les pulsions régissent à la fois la vie psychique et la vie organique, et ont tendance à ramener le sujet à un état antérieur; une fois cette position atteinte, les pulsions recréent la tension, et ainsi de suite, produisant des phénomènes de compulsion dont Freud souligne les manifestations dans l'embryologie (aptitude des tissus à se reconstituer), dans l'instinct chez les animaux, et dans la vie psychique où il y a reproduction d'événements refoulés remontant à la petite enfance, soit par les rêves, le transfert ou dans la vie courante. Afin de mieux saisir la portée de la pulsion d'auto-destruction, Freud mentionne l'action à la fois conjuguée mais opposée des pulsions de vie et des pulsions de mort dans toute manifestation de vie qui connaît sa fin dans la mort, ces dernières l'emportant en raison du fort besoin inconscient de punition chez l'être humain, ou du sentiment de culpabilité inconscient lié à l'action du surmoi.

Enfin, dans *Moïse et le monothéisme* (1939), publié l'année de sa mort, Freud développe l'idée de la répétition dans l'histoire de l'Humanité, à propos du phénomène religieux. Il établit une analogie entre la psychologie individuelle (genèse des névroses) et la psychologie collective (en ce qui a trait au phénomène religieux) où se retrouvent les mêmes étapes vécues par l'être humain: 1. des événements précoces 2. le refoulement 3. une période de latence 4. le retour du refoulé.

La contribution de Freud est fondamentale dans la réflexion sur le phénomène de la compulsion de répétition. Il est le premier à avoir montré comment les émois passés se répètent dans le présent, et en quoi le passé d'un individu peut influencer divers secteurs de sa vie, et particulièrement ses relations avec autrui. Selon Freud, les émois inconscients liés à des contenus désagréables résistent à revenir à la mémoire; ils ont davantage tendance à se reproduire dans la vie courante de façon compulsive et non intentionnelle. Pour éviter que la tension ne soit déchargée dans un agir, il importe de retourner dans le passé et de rendre conscients les états psychiques antérieurs refoulés, ce qui pourra libérer le sujet de l'emprise de la répétition.

Autres contributions

Afin d'alimenter le lecteur, nous citerons brièvement d'autres auteurs qui ont réfléchi sur le phénomène de la répétition.

Dans son article publié en 1975, *Ghosts in the Nursery*, Selma Fraiberg traite des fantômes qui hantent toutes les chambres d'enfants, référant ici au passé oublié des parents mais resté bien vivant dans le passage de la vie d'une génération à l'autre. Elle insiste aussi sur la répétition par la victime des violences subies en devenant agresseur à son tour. Deux cas sont exposés, illustrant la méthode et les moyens utilisés pour prévenir la répétition du passé malheureux des parents. Un élément essentiel de l'intervention auprès de ceux-ci consiste à leur permettre d'avoir accès à leurs blessures infantiles par l'évocation des souvenirs et le revécu d'émotions liées à ces souvenirs.

Ikonen et Rechardt, dans *L'état de paix* (1980), voient la répétition de la destruction comme un moyen pour parvenir à l'état de paix. Selon eux, ce que l'être humain craint le plus serait Eros (l'harmonie, l'unification) et non Thanatos (la mort, le chaos), un peu comme si les gens désiraient consciemment un bonheur stable mais craignaient le déséquilibre ou le dérangement engendré par la rencontre de nouveauté dans leur recherche du bonheur, d'où leur tendance à répéter en se replaçant dans des situations familières ou connues.

Arthur Janov expose sa vision de la répétition chez l'être humain dans son livre *Prisonniers de la souffrance* (1982) et *Le nouveau cri primal* (1992). Selon lui, tant que le passé n'est pas résolu, il est impossible de vivre pleinement dans le présent. Une souffrance trop intense chez un jeune enfant et refoulée au fond de lui-même exerce sur lui une pression continuelle et le rend prisonnier. La mise à jour des sentiments liés à des contenus refoulés représente la voie de résolution d'événements anciens. Selon Janov, la principale cause de mortalité dans le monde contemporain tient justement au refoulement qui se présente sous plusieurs formes, dont les maladies et les comportements répétitifs.

Dans *Le corps, le Soi et l'âme* (1989), Jack Lee Rosenberg consacre une partie de son ouvrage à décrire la répétition qu'il voit comme la remise en scène du scénario originel. Il propose un outil qu'il appelle le *scénario originel*, i.e. un génogramme construit subjectivement par l'individu avec l'aide de son thérapeute, qui tente de retracer le climat affectif et relationnel dans lequel il s'est développé entre sa naissance et l'âge de 6 ans. Selon Rosenberg, la plupart d'entre nous continuons involontairement à rejouer ce scénario originel afin de combler des besoins inassouvis. Le but du thérapeute dans l'approche développée par Rosenberg, *la psychothérapie corporelle intégrée*, est de retracer avec le patient les thèmes qui se répètent et de les lier à des circonstances et à des personnes de son histoire propre; un autre but et non le moindre, est d'amener le patient à passer de l'agir à la mentalisation.

Alice Miller a certainement apporté une contribution intéressante en considérant la répétition sous le couvert de l'éducation donnée aux enfants par leurs parents. Dans son livre *C'est pour ton bien* (1984), elle insiste sur les ravages causés dans la vie adulte par les violences subies au cours de l'enfance, si les émotions liées à ces violences n'ont pas été ressenties et exprimées, ainsi que sur les dommages qui se manifestent par le biais de la répétition de ces violences dans la génération suivante. A titre d'illustrations, elle commente des histoires de vie dont celle d'Adolf Hitler, l'assassin de millions de Juifs, et celle de Jürgen Bartsch, un tueur d'enfants. Dans *La connaissance interdite* (1990), elle prône l'approche thérapeutique de Konrad Stettbacher comme moyen de rompre la chaîne des répétitions; ce dernier croit possible la levée du refoulement de l'enfance, qu'il décrit dans son livre *Pourquoi la souffrance* (1991), préfacé par Alice Miller.

Enfin, il apparaît intéressant de mentionner le roman de Suzanne Jacob, *L'obéissance*, publié en 1991, dans lequel l'auteure, à travers deux personnages différents, illustre bien que la répétition est un mécanisme qui intervient dans tout parcours humain, et dépasse le fait d'appartenir à une classe sociale en particulier. Pour enchaîner, je rapporterai une histoire parmi tant d'autres, mais une histoire tristement vraie, celle-là.

Une histoire de répétition en cinq temps

Il était *une fois*, il y a une trentaine d'années, la naissance d'une petite Francine, sans filiation paternelle. Au cours des jours suivants, elle est *abandonnée par sa mère*, puis adoptée par Jacques et Claudette, déjà parents adoptifs d'une autre petite fille depuis quelques années. De 0 à 6 ans, Francine vit avec sa famille adoptive; aux dires d'une tante, la petite est continuellement punie. Monsieur la décrit comme désobéissante, désagréable et décevante, et se dit pessimiste quant à son devenir.

Il était *deux fois* la petite Francine placée par ses parents adoptifs dans des familles connues par eux et ceci, à trois reprises à partir de l'âge de 6 ans, pour des raisons inconnues. Son adolescence est difficile: sans amies, avec le sentiment d'être laide et de n'être aimée de personne, engagée dans une sexualité précoce, elle vit une relation conflictuelle avec son père adoptif qu'elle perçoit comme l'autorité qui l'a «brusquée et bousculée». Les intervenants scolaires parlent de *«fort rejet parental»* et de désir des parents adoptifs de placer Francine; à l'école, elle fait des demandes excessives et entretient de nombreux conflits avec ses pairs. Elle est placée quelque temps dans un centre d'accueil.

Alors que Francine a 16 ans, sa mère adoptive meurt; elle dit garder de bons souvenirs d'elle. Sept mois plus tard, Jacques se remet en ménage avec Claire qui a un fils de 16 ans. La tension familiale augmente, et Francine ne veut plus vivre dans la même maison qu'eux. Elle est indisciplinée à l'école, refuse d'y aller, nie la responsabilité de ses actes. A 17 ans, elle fugue, accusant le fils de Claire d'agression sexuelle, et Claire, de mauvais traitements. Elle demande à retourner au centre d'accueil, où elle est finalement hébergée durant les fins de semaine.

Cinq mois plus tard, son père adoptif l'envoie passer l'été chez une tante à la campagne, exprimant par là sa crainte qu'elle ne soit trop dépendante de lui. A son retour en septembre, il demande au Tribunal de la Jeunesse de placer Francine, devant le refus du centre d'accueil (qui l'hébergeait temporairement) de la garder plus longtemps. Claire est intolérante avec elle, et les conflits sont continuels. Par la suite, Francine a connu sept familles d'accueil en sept mois, qui l'ont toutes renvoyée pour des raisons semblables: accaparante, provocante, passive, rejetée de l'école, exigeante, vie sexuelle intense, sorties désordonnées. Son père adoptif s'est désintéressé et refuse de s'occuper d'elle. Sauf à de rares occasions, il n'a pas visité Francine dans les familles d'accueil. Très instable, on remarque qu'à partir de l'âge de 18 ans, elle passe d'un logement à un autre, puis d'une maison d'hébergement à une autre. Les amants se succèdent, entre autres Gérard, un sexagénaire qui s'est fait son défenseur et son protecteur.

Jusqu'à ce moment, les interventions faites auprès de Francine, d'abord enfant puis adolescente, ont témoigné de sa grande avidité relationnelle en même temps que de sa peur viscérale de l'abandon. La relation représente pour Francine à la fois une menace de répétition du rejet originel qu'elle a subi, et une occasion angoissante d'entrer en contact avec la souffrance inscrite dans son histoire personnelle.

Il était *trois fois* la naissance du premier enfant de Francine, alors qu'elle a 20 ans: Gérard-Michel, sans filiation paternelle, et pour lequel arrive un signalement à la DPJ alors qu'il a trois semaines. En effet, Francine a fugué d'un centre d'accueil pour mères célibataires avec son bébé et son copain. Ils sont retrouvés chez des amis. Ils ont consommé de la drogue; le nouveau-né est agité et très négligé à tous points de vue (soins, contact affectif). Alors que Gérard-Michel a un mois, Francine signe un consentement à l'adoption.

Il était *quatre fois* la naissance du deuxième enfant de Francine, seize mois après celle de Gérard-Michel: une fille qu'elle prénomme Claudette, comme feue sa mère adoptive. L'enfant est sans filiation paternelle. Un signalement est retenu à la DPJ alors qu'elle a un mois: le bébé est négligé à tous points de vue. Francine vit alors avec Gérard, de qui elle est très dépendante au niveau de l'organisation de la maison et de l'exécution des travaux domestiques. Elle connaît plusieurs relations amoureuses et plusieurs disputes avec Gérard. Alors que Claudette a six mois, Francine demande aux services sociaux de la placer en famille d'accueil. Quelques jours après le placement, elle reprend sa fille; deux mois plus tard, l'enfant est replacée, en urgence cette fois, dans un centre d'accueil pour petits, car Gérard a dénoncé les mauvais traitements infligés par Francine à son bébé.

Un juge ordonne un placement de deux ans en famille d'accueil, avec confidentialité de la ressource. Lors d'un contact supervisé mère/fille, la petite refuse d'aller vers sa mère qui s'en trouve offusquée. Alors que Claudette a 3½ ans, Francine signe un *consentement à l'adoption*. Sa vie continue d'être ponctuée de changements de milieux de vie et d'amoureux dont Claude, en liberté conditionnelle (Claude: prénom de sa mère adoptive au masculin).

Il était *cinq fois* la naissance du troisième enfant de Francine, vingt-deux mois après celle de Claudette: Cathy, dont le père, Claude, reconnaît sa paternité. Comme lors de son deuxième accouchement, Francine fugue du centre pour mères célibataires avec sa fille âgée d'un mois qui, une fois retrouvée, est placée dans un centre d'accueil pour petits, puis en famille d'accueil par ordonnance du Tribunal de la Jeunesse. Comme pour Claudette, il y avait eu signalement à la DPJ pour négligence à tous points de vue. Francine revient vivre chez Gérard, fait ensuite ménage à trois avec Claude et une jeune femme, puis revient chez Gérard, son port d'attache. Comme Claudette, Cathy se met à refuser d'approcher Francine lors des contacts supervisés, puis elle s'oppose vigoureusement à rencontrer sa mère. Depuis que Cathy a 3 ans, Francine a parlé de la faire adopter, et ce, à six reprises; à l'âge de 6 ans, Cathy est adoptée légalement par sa famille d'accueil, Claude et Francine y ayant finalement consenti.

Depuis, Francine a déménagé à maintes reprises, a vécu plusieurs relations amoureuses, mais elle reprend contact principalement avec Gérard, maintenant septuagénaire, avec Claude et avec Paul, ce dernier rencontré après la naissance de Cathy.

Francine est une petite fille dans l'enveloppe d'une femme arrivée dans la trentaine. Son histoire se présente comme une série d'événements et de relations noués, fixés en quelque sorte, dans l'engrenage de la répétition d'autant de rejets et d'abandons: de ses parents biologiques à sa famille adoptive (parents et soeur), des milieux d'enseignement aux milieux d'hébergement, de ses amants jusqu'à ses enfants. De son côté, elle a négligé et abandonné Gérard-Michel, Claudette et Cathy, rejouant ainsi le scénario enregistré au fond d'elle-même.

Ajoutons ici que, malgré le nombre important d'interventions dont Francine a été l'objet, il n'a pas été possible pour les différents intervenants d'engager un travail en profondeur avec elle. Au départ, l'objectif de l'intervention dans le cadre de la LPJ a consisté principalement à protéger ses enfants et à lui fournir une aide concrète. Il aurait fallu entamer avec elle un processus thérapeutique à long terme dont nous doutions cependant de la pertinence, compte tenu de ses limites intellectuelles d'une part, et du fait aussi de son peu de motivation à être confrontée aux souvenirs et aux émotions liées, qu'elle ne cherchait qu'à éviter et engourdir dans l'agir répétitif.

Le paradoxe dans la répétition

Reproduire des attitudes ou des comportements n'a rien en soi de nocif lorsque, par ceux-ci, la personne tente de renouveler un bien-être, une sensation agréable, un état de plaisir. Par exemple, le fait de profiter de différentes occasions pour perpétuer le sens de la fête, avec le désir plus ou moins conscient d'y retrouver les émotions heureuses ressenties lors de fêtes organisées par sa mère, permet de se rapprocher de l'objet d'amour qui a permis de vivre ces moments de bonheur.

La répétition du passé devient problématique à partir du moment où il y a reproduction de tendances destructrices qui ont marqué la trame de l'histoire familiale. La compulsion à répéter prend alors un caractère impératif qui s'impose avec acharnement, et contrôle la scène interne aussi bien qu'externe.

Dans son versant *«démoniaque»*, la compulsion de répétition pourrait donc être décrite comme ce phénomène humain paradoxal qui consiste en la reproduction involontaire d'expériences douloureuses, d'une génération à l'autre. Alors que l'humain est en soi un être de plaisir, i.e. orienté vers la satisfaction de ses besoins et de ses désirs, il se retrouve aux prises avec une tendance qui porte en elle le risque de la stagnation, voire de la destruction, dans les cas extrêmes.

Le dilemme que le sujet affronte est le suivant:

- ou il endosse la vision du monde de son milieu d'origine et reproduit leurs agirs... tout en souffrant quand il prend conscience qu'il perpétue l'agenda familial dont il a été lui-même victime;

- ou il s'oriente vers une autre voie qui lui est personnelle, au prix de s'éloigner de modes d'agirs «familiers»... tout en croyant difficilement en la possibilité d'un changement, d'une distance prise par rapport au connu; il doute, ou encore, il ignore qu'il peut en être autrement.

Si on avait demandé à Francine avant la naissance de chacun de ses enfants: *«Que désirez-vous vivre, Francine, avec votre bébé?»*, comme plusieurs, Francine aurait sans doute répondu en toute sincérité qu'elle souhaitait profondément être une bonne mère, qu'elle allait tout mettre en oeuvre pour ne pas faire revivre à son enfant les abandons, la négligence et le rejet qu'elle a elle-même vécus. Malheureusement, à cause d'un passé lourdement carencé, une telle mère nourrit des attentes inconscientes à l'égard de son nouveau-né: elle a besoin de lui. L'enfant est investi très jeune comme celui ou celle qui s'occupera d'elle, qui réparera les blessures de sa propre enfance. Quand cette mère s'aperçoit que son bébé tente de vivre sa vie d'enfant et qu'il ne répond pas à ses attentes comme elle le prévoyait inconsciemment, elle interprète cette attitude comme un manque d'amour, et encore une fois, voilà que recommence le cycle. L'enfant est alors vécu comme celui qui la prive de l'amour attendu, et parfois même, comme un agresseur sadique à son égard. Et elle se défend comme elle peut: l'enfant blessé en elle revendique, souvent en infligeant des mauvais traitements (sévices corporels, négligence, agression verbale, psychologique...). Elle ne comprend pas: pourquoi, malgré tout son désir de bonheur, l'histoire se répète-t-elle?

Chez Francine apparaissent des récidives d'abandon et de négligence à l'égard de ses enfants, comme si sa vision du monde était reconduite en chacun d'eux: avoir sa place correspond, dans cette vision, à se retrouver abandonné, négligé, rejeté. Mais en fait, quel rôle joue la répétition, et quelle est sa fonction, au plan intergénérationnel?

La fonction de la répétition

Personne n'est à l'abri de la répétition. Elle s'exprime cependant différemment, comme on le voit par l'intensité, la durée et la fréquence avec lesquelles elle se déploie chez chacun. De même, elle est fonction de la force intérieure disponible chez le sujet qui choisit de la maîtriser et de créer le changement.

Au fond, ce qui est répété, c'est la quête de l'objet d'amour, mais qui est *«agie»* selon un mode bien connu du sujet. Il s'agit d'un appel inconscient adressé à l'objet d'amour, une tentative de le faire revivre à travers soi: la personne lutte, tiraillée entre son besoin de se libérer de l'autre, et le désir tout aussi compulsif de le retrouver dans des gestes et des attitudes semblables.

Dans la répétition, ce n'est évidemment pas la souffrance qui est recherchée, mais plutôt la satisfaction qui est attendue d'un objet familier et complaisant; la souffrance est le chemin emprunté pour y arriver, parce que des traces de l'objet familier s'y retrouvent liées. La personne aboutit malheureusement au cul-de-sac de l'aliénation, dans la mesure où elle se perd de vue à force de vouloir s'inscrire dans les traces de l'autre. De fait, ce qui pousse à répéter un passé douloureux, c'est la recherche déguisée de l'objet aimé par des détours variés, en revivant ou en faisant revivre à d'autres des situations déjà vécues dans la relation avec ce premier objet d'amour.

Dans la compulsion s'ajoute un aveuglement au moment où le sujet fait face à des émotions difficiles liées à son passé. Ces émotions sont *«agies»* plutôt que représentées, et elles ne sont donc pas ressenties réellement. La répétition serait en quelque sorte une sortie d'urgence empruntée devant l'angoisse, comme si le vécu refoulé forçait la porte tout en voulant faire taire le *«ressenti»* en jeu dans l'expérience. Répéter, c'est *«agir»* un malaise plutôt que de le vivre dans sa totalité, c'est se défendre contre le changement, contre l'angoisse de *«l'inconnu»*, dans la vie comme dans la cure.

La répétition aurait pour fonction une recherche inconsciente de l'objet d'amour, par un retour sur les traces qu'il a laissées, et dans l'illusion de s'en approcher. Il s'ensuit une fonction secondaire qui est celle du refoulement des émotions liées aux désagréments vécus avec et à cause de l'objet d'amour, afin de pouvoir poursuivre cette quête vitale pour le sujet qui vise à le percevoir disponible et sans failles, à évacuer tout doute sur cet attachement. C'est dans ce but que le sujet s'impose de *«dénier»* tout ressenti désagréable vécu dans le rapport à l'objet d'amour, empêchant ces émotions de s'infiltrer dans l'illusion, pour ainsi s'éviter la souffrance du face à face et la reconnaissance d'un objet d'amour imparfait, qui a «mal aimé». L'identification à l'objet aimé, plutôt que de les révéler, bloque donc l'expression des émotions enfouies, empêchant une prise de distance psychique suffisante entre soi et l'objet aimé.

La souffrance liée à cette quête chez Francine s'est exprimée sous forme de comportements autodestructeurs, entre autres, dans la maladie (eczéma chronique), l'assuétude à certaines substances (drogue, médicaments, nourriture), la négligence de son hygiène personnelle et diverses formes de provocation qui ont résulté en de nombreux rejets. On sait aussi que Francine a été victime d'exploitation à divers niveaux (matériel, financier, sexuel), qu'elle a induite dans l'espoir d'obtenir attention et affection, ou pour remplir les silences, combler les béances dans sa vie.

Comment Francine a-t-elle pu arriver ainsi à s'effacer de sa propre vie et de celle de ses enfants, de ses conjoints, de ceux qui ont tenté de la tourner vers le «possible»? De quelle emprise était-elle prisonnière, quel désir inconscient l'animait si intensément pour qu'elle en arrive à se priver d'une vie meilleure que celle déjà connue?

Le désir dans la répétition

La loyauté envers l'objet d'amour joue un rôle crucial dans la répétition intergénérationnelle. Elle exerce une emprise mortifère sur l'individu qui, consciemment, désire se développer mais aussi rester proche de ce qui lui est *«familier»*, par fidélité à ses origines. En s'identifiant à l'objet aimé par des agirs qui sont sources de souffrance, le sujet renonce à son potentiel créateur, et par le fait même, au changement. Répéter, c'est refaire ce qui a été, rechercher le *«confort du déjà connu»*, malgré les suites souvent douloureuses qu'il entraîne dans sa vie.

La nouveauté, l'incontrôlable, l'incontournable sont sources d'angoisse, en raison de l'excitation potentiellement génératrice de danger et de culpabilité qu'ils comportent. La personne devient en quelque sorte aveugle quant à ses possibilités d'être *«autre»*.

Très jeune, l'enfant est interpellé dans sa loyauté à l'égard de l'objet d'amour par des pressions extérieures d'abord, puis qui s'intériorisent peu à peu. Il devient rapidement dépendant de l'approbation de l'être aimé, à moins qu'il n'ait la permission de laisser s'exprimer en lui le vrai soi. Mais par qui et comment obtiendra-t-il le visa d'accès à la différence?

«Faire autrement», c'est d'une certaine façon s'éloigner de l'objet, c'est renoncer à la sécurité du modèle, à son caractère d'absolu, pour s'engager dans l'inconnu. Croire qu'«autre chose» soit possible est une expérience torturante puisqu'elle oblige à se confronter avec l'objet d'amour.

Cet objectif implique de sortir des sentiers battus, de s'estimer assez important pour déterminer son lieu et en faire un jardin personnalisé. Vivre autrement, c'est accéder par loyauté envers soi-même à sa propre vie, sans renier pour autant ses origines.

Le désir inconscient qui intervient dans la répétition intergénérationnelle semble donc celui de demeurer loyal, fidèle aux objets d'amour originels, pour s'épargner ainsi la blessure rattachée à la vision de l'imperfection chez les êtres chers. La loyauté met en échec cette représentation de l'incomplétude et encourage l'identification. Elle évite la terrible solitude, celle de l'affront narcissique de ne pas avoir été aimé comme un être unique et précieux. Mais est-ce vraiment rester fidèle aux siens que de vivre replié sur le malheur?

L'antidote: emprunter des trajets pour parvenir au changement

Toute démarche qui vise à un changement de cap ne peut se faire que graduellement et s'avère lourde d'exigences, puisqu'un déséquilibre se trouve provoqué chez le sujet qui tente d'arrêter la reproduction de comportements problématiques dans sa vie. L'individu doit y consacrer temps et énergie, et avoir recours à une aide professionnelle appropriée, s'il lui est difficile de trouver en lui-même la force nécessaire pour modifier le cours des événements. Cette démarche comporte plusieurs aspects:

Prendre conscience de la répétition Constater l'emprise du cycle répétitif, être déterminé à en sortir, c'est d'abord prendre conscience de ce qui se rejoue dans sa propre vie et des moyens adoptés jusque-là pour se protéger de la souffrance. En considérant ce qui est répété, comment, où et avec qui, on peut dire que déjà, l'exorcisme du passé est commencé.

S'autoriser à se souvenir Reconnaître son histoire, en revenant sur les faits passés, au risque de briser ainsi l'illusion d'une enfance totalement heureuse. Se souvenir des blessures subies (physiques, psychologiques), et peut-être aussi infligées à d'autres; mettre en images et en mots, sans minimiser, sans nier les passages difficiles; reconnaître les failles du système familial, les siennes aussi bien que celles des objets d'amour idéalisés... cette démarche ne se fait pas sans un sentiment désagréable de manquement à la loyauté, mais aussi de reconnaissance de ses propres limites.

Toutefois, mettre à jour le passé ne le transforme pas ou ne l'efface pas; croire que le fait de s'en souvenir puisse en «*débarrasser*» le sujet, serait nourrir une autre illusion tout aussi dommageable.

S'autoriser à ressentir Retourner à un passé laissé en suspens. Laisser monter les sentiments douloureux liés à certains souvenirs et les exprimer, c'est faire place au devenir, dégager un espace pour construire, vivre sa génération plutôt que d'emprunter les dédales tortueux et stériles transmis par la précédente.

Reconnaître son vrai Soi et s'ouvrir à la différence Se rapprocher peu à peu de ses désirs propres, de ses goûts, de ses aspirations. Se reconnaître le droit à la différence par rapport à ses antécédents et au système familial connu, en reconnaissant la part d'identification à des figures de son passé et en restant à l'écoute des autres. Trouver soi-même réponse à ses besoins plutôt que de l'attendre d'objets d'amour fabriqués par l'illusion. Choisir véritablement sa vie, autant dans ses relations affectives que dans ses activités, avec le minimum d'infiltration sournoise des fantômes du passé.

Faire le deuil de l'amour fantasmé Réaliser les limites, l'imperfection des objets d'amour et par conséquent, reconnaître les conditions réelles de son enfance, voilà l'étape la plus pénible et la plus longue dans ce processus. Il s'agit de faire le point sur ce qui a été difficile, pleurer le vide laissé par ce qui n'a jamais eu lieu, vivre la colère et la tristesse liées aux manques. C'est aussi voir ses parents comme des humains eux-mêmes tributaires de leur passé. Vivre ce deuil implique donc pour le sujet la difficile prise de conscience de l'impossibilité de changer son scénario originel et, par le fait même, la nécessité d'accéder au désir de se changer lui-même plutôt que de vouloir modifier l'objet d'amour. C'est donc accepter de façonner son devenir avec ce qui a été et ce qui est, et non à partir de ce qui aurait dû être.

Comme dans tout processus de deuil, celui-ci soulève des émois souvent excessifs et difficiles à porter: révolte, solitude, tristesse, colère, culpabilité. Pour certains dont les pertes, les manques et les violences subis ont été très intenses, le deuil peut se transformer en mélancolie, en ce sens que le cours de leur vie sera d'autant alourdi par le boulet de ce passé par moments inassumable. S'engager dans une démarche personnelle présentera des exigences proportionnelles aux blessures subies, sans garantie de se libérer des fantômes du passé, avec des moments de résistance et de désespoir, et d'autres, d'ouverture et d'espérance. Le deuil porte en lui-même un visage mortuaire, mais offre aussi une facette vivante puisqu'il fait partie de la continuité de la vie.

Travailler ainsi pour soi, c'est aussi travailler pour sa descendance, en lui offrant un être plus vrai, plus ouvert à la vie et à la souffrance malgré tout inévitable, mais qui sache d'autant mieux le guider sur le chemin de la découverte de soi.

Le changement ne se fait pas sans douleur. Entre le connu et le *possible,* le sujet affronte l'angoisse de *«s'exposer»,* i.e. d'oser vivre pleinement le dérangement entraîné par la prise de conscience de soi et des autres, l'inquiétude d'être déloyal à certains moments, et des sentiments de culpabilité et de honte parfois lourds à soutenir. La voie de la transformation exige donc du courage et de la détermination, et aussi d'avoir foi et espoir dans la vie et dans un mieux-être.

Emprunter le trajet ouvrant à des changements, c'est donc assumer et intégrer les manques et les limites reconnues chez soi et les autres, comme une partie du réel, mais en s'ouvrant aussi à un monde possible et susceptible d'être enrichi, comme autre partie du réel à léguer en héritage. Par ce processus, le sujet s'engage, plutôt que de blâmer la génération précédente, dans une démarche de responsabilisation face à lui-même; il accomplit ainsi un geste d'amour et de générosité envers ceux qui suivront.

L'intervenant, soucieux de travailler dans cette optique auprès du jeune ou de l'adulte, l'accompagnera dans son cheminement difficile tout en le supportant dans la prise de conscience des mécanismes de la répétition dans sa vie. Il l'assistera dans l'élaboration de son histoire, dans le deuil de son douloureux passé, en nommant l'angoisse devant l'inconnu et le non familier. Cet accompagnateur ne doit cependant pas être considéré comme celui qui réparera les blessures de l'enfance mais plutôt qui travaillera avec le sujet sur ce fait d'*«accepter de vivre avec son passé»;* le considérer comme un sauveur implique le risque de se perdre à nouveau plutôt que de se rapprocher de soi.

Ce guide ou témoin devrait être évidemment préparé à un tel accompagnement; plus, il devra lui-même être engagé dans cette voie de la libération des fantômes de son propre passé qui, redisons-le, représente le travail d'une vie. En effet, c'est avec le temps que le présent, conjugué en temps réel et non plus confondu avec le passé, peut revitaliser et donner toute leur authenticité aux contacts entretenus avec autrui dans sa vie relationnelle, de même qu'à ses choix, voire à sa vision renouvelée du monde.

Toutefois, ce type d'intervention n'apparaît pas indiquée comme telle s'il s'agit de personnes qui souffrent de problèmes importants de santé mentale, requérant une assistance plus spécifique en raison de la nature de leurs conflits intrapsychiques, de leurs symptômes et de leurs mécanismes de défense.

Le parfum du changement: la générosité

Qui a dit qu'on ne peut donner ce qu'on n'a pas reçu... Et si, au contraire, c'était possible? L'individu qui s'est libéré de l'emprise nocive des fantômes du passé devient peu à peu capable de donner ce qu'il a peu ou pas reçu. Le don n'est plus coloré par l'hésitation à accorder le meilleur à l'autre, mais revêt plutôt un sens de générosité. L'individu parvient à dépasser l'envie, ce déplaisir éprouvé devant le bonheur de l'autre, cette incapacité de voir l'autre vivre des expériences heureuses en dehors de soi. Combien de mères voyons-nous boycotter de diverses façons le placement de leur enfant, au moment où elles réalisent qu'il reçoit plus qu'elles n'ont elles-mêmes reçu sur les plans matériel, affectif ou social. Elles sont incapables de lui permettre d'en profiter, tolérant difficilement qu'il soit heureux en dehors d'elles et de ce qu'elles ont connu comme enfant. Insupportable rappel des blessures premières...

L'individu au clair avec son passé accède à la générosité, devient capable de saluer et d'être heureux des gains ou des bonheurs vécus par l'autre. Il se sent moins menacé par les retours insidieux d'hier parce qu'il a reconnu ses manques, pleuré ses pertes et fait la paix avec ses antécédents. Lors de moments difficiles, il se montre vigilant devant l'éventualité de la répétition qui guette pour réintroduire les événements familiers et créer, face à l'angoisse, l'impression du «déjà connu».

Conclusion

Même si toutes les histoires ne sont pas aussi dramatiques dans les faits que celle de Francine, on retrouve dans chaque histoire individuelle et familiale les traces d'un sens qui se perpétue souvent d'une génération à l'autre: le sens donné à la vie, aux relations affectives, au pouvoir, au plaisir. Cette manière de voir la vie et les rapports avec autrui se trouve projetée dans des agirs répétitifs, à moins que le cycle ne soit brisé à un moment ou l'autre par un changement, i.e. grâce à une prise de conscience initiée par un des membres du système familial.

Ce mouvement chez celui qui s'engage dans la voie de la nouveauté comporte une sorte de vertige engendré par le «non» posé devant le familier douloureux, et par le «oui» à l'inconnu angoissant. A partir du moment où la personne reconnaît l'infiltration de la répétition dans sa vie, un choix s'impose entre deux orientations possibles, soit s'installer dans la sécurité factice de la répétition, soit se livrer à la démarche exigeante qui conduit au changement. L'une et l'autre font vivre, de toute façon, une angoisse: l'une, stagnante, tout comme la récurrence du «souffrir», alors que l'autre, créatrice, peut ouvrir à la métamorphose du «vivre». Cette angoisse associée au passage vers «autre chose» est, à juste titre, décrite par Juliette Favez-Boutonier (1963), comme *«l'émotion de la liberté»*.

Qu'adviendra-t-il de Gérard-Michel, de Claudette, de Cathy, de tous ces enfants issus de parents plongés dans l'agir répétitif de patterns familiaux?

A notre avis, les Gérard-Michel, Claudette, Cathy, vivront *«autrement»* si, dès l'enfance, ils se trouvent auprès d'adultes (parents-substituts, éducateurs ou autres) qui les autorisent à se souvenir, i.e. qui leur permettent de mettre en images et en mots les blessures subies, dans une attitude d'accueil et non de blâme porté sur leur milieu et leur vécu antérieur... si ces adultes leur ouvrent la voie du ressenti et de l'expression des émotions liées à ces souvenirs difficiles, s'ils les accompagnent dans le deuil de leurs illusions... et à condition encore que ces adultes aient la générosité de les encourager à créer leur vie, à partir de leurs désirs propres et de leurs aspirations les plus profondes.

S'ils ne rencontrent pas de tels adultes, la libération vers l'*«autrement»* devra attendre de trouver plus tard un chemin, au prix d'une démarche rendue peut-être encore plus douloureuse et ardue. Et si cette ouverture ne se produit pas, la répétition ajoutera des griffes à son emprise et générera d'autres Francine en quête de retrouver dans un cliché apparemment familier les traces tant désirées de *l'amour perdu*.❖

Repetition of destructive behaviors and attitudes from one generation to another engenders stagnation or even the desintegration of life potential in the individual. To counter the recurrence of such tendencies requires strength, consciousness and energy and it further implies a painful mourning process for the subject who revisits his past history so as to accept its lack as well as his own personal limits.

After describing the function of repetition and the paradoxical desire intricated in the mechanism of compulsion, the author proposes several steps that may contribute to significant changes. She nonetheless insists on the necessity of a permanent involvement by the subject to liberate himself from the destructive cycle of repetition, and while attenuating the distress of his life, to find access to a renewed creativity and generosity for the future.

Références

Favez-Boutonier J. **L'angoisse**. Paris: PUF, 1963.

Favez-Boutonier J. **Les défaillances de la volonté**. Paris: PUF, 1951.

Freud S. Dora: un cas d'hystérie. In: **Cinq psychanalyses**. Paris: PUF, 1954:1-91.

Freud S. **Essais de psychanalyse**. Paris: Payot, 1964. (Au-delà du principe du plaisir, pp. 7-77; Le Moi et le Ca, pp. 177-220).

Freud S. **Inhibition, symptôme et angoisse**. Paris: PUF, 1965.

Freud S. **La technique psychanalytique**. 9ième éd. Paris: PUF, 1989. (La dynamique du transfert, pp. 50-60; Remémoration, répétition et perlaboration, pp. 105-115; Observations sur l'amour de transfert, pp. 116-130).

Freud S. L'inquiétante étrangeté. In: **L'inquiétante étrangeté et autres**

essais. Paris: Gallimard, 1985: 209-263.

Freud S. **Moïse et le monothéisme**. (Idées, no 138) Paris: Gallimard, 1967.

Freud S. **Totem et tabou**. Paris: Payot, 1965.

Jacob S. **L'obéissance**. Paris: Seuil, 1991.

Janov A. **Le nouveau cri primal**. Paris: Presses de la Renaissance, 1992.

Janov A. **Prisonniers de la souffrance**. (Les grandes découvertes de la psychanalyse) Montréal: Laffont-Canada, 1982.

Miller A. **C'est pour ton bien**. Paris: Aubier, 1984.

Miller A. **La connaissance interdite**. Paris: Aubier, 1990.

Rechardt E, Ikonen P. L'état de paix. In: **Les pulsions.** (Les grandes découvertes de la psychanalyse) Montréal: Laffont-Canada, 1980:157-186.

Rosenberg JL. **Le corps, le Soi et l'âme**. Montréal: Québec-Amérique, 1989.

Stettbacher JK. **Pourquoi la souffrance**. Paris: Aubier, 1991.

Leduc, «Architecture de la répétition», 1994

PUISSANCE DE LA PRÉVENTION:
le suivi pendant 23 ans d'enfants d'âge préscolaire du Michigan

En 1970, un programme de prévention appelé «High/Scope Perry Preschool Study» fut commencé au Michigan avec des enfants africains-américains de 3 ans vivant en situation de «pauvreté» et identifiés à haut risque au point de vue scolaire; 58 d'entre eux furent assignés au hasard pour participer à un programme d'intervention et 65 furent assignés à un groupe témoin.

Durant deux ans, on procura chaque semaine aux 58 enfants du groupe expérimental un programme de haute qualité d'apprentissage actif; de plus, on ajouta des visites hebdomadaires aux parents de ces enfants, ainsi qu'un entraînement systématique aux enseignants participant à cette intervention et une supervision de soutien durant les deux années de l'intervention. Ce programme de haute qualité coûta 7,258.00$US par année par enfant. Quarante-cinq de ces derniers purent participer au programme complet de deux ans, alors que les treize autres ne le suivirent que durant une année. Le coût moyen total par participant fut donc de 12,888.00$US avant escompte et de 12,356.00$US, après escompte.

Par la suite, les données sur les deux groupes d'enfants ont été colligées annuellement, de l'âge de 3 à 11 ans et ensuite, à 14, 15, 19 et 27 ans. Les résultats les plus importants sont les suivants:

1. Rendement scolaire: 71% des enfants du groupe expérimental ont terminé leur cours secondaire, en comparaison de 54% du groupe témoin;

2. Prévention du crime: 12% des membres du groupe expérimental ont été à un moment donné en probation alors que 26% de l'autre groupe l'ont été;

3. Développement économique: 29% du premier groupe gagnent à l'âge de 27 ans un salaire mensuel de 2,000.00$US ou plus, comparé à 7% du second groupe; de plus, 59% du groupe expérimental ont été, un moment, sur le Bien-être social en comparaison de 80% pour les autres;

4. Engagement marital: chez les participants masculins, à 27 ans, le même pourcentage des deux groupes, soit 26%, étaient mariés, mais ceux du groupe expérimental l'avaient été pendant 6.2 ans comparé à 3.3 ans pour l'autre groupe. Chez les participantes féminines, 40% de celles du groupe expérimental étaient mariées à l'âge de 27 ans, en comparaison de 8% pour les autres.

Le rendement sur l'investissement de départ a été calculé grâce à une analyse coûts-bénéfices qui a impliqué l'estimation des coûts du programme d'intervention et de ses effets ultérieurs en dollars américains constants en 1992, avec une escompte annuelle de 3%. Le montant moyen des bénéfices économiques pour la société a été de 88,430.00$US par participant (entre les âges de 4 et 27 ans) obtenus: 1. par des épargnes en dépenses scolaires (principalement dues à un besoin moins fréquent d'enseignement spécialisé; 2. par plus de taxes perçues (dues à des revenus plus élevés gagnés par les participants du groupe expérimental); 3. par des épargnes en assistance publique; 4. par des épargnes sur des règlements à la Cour ou hors-cour pour les victimes de crimes commis.

Les 88,433.00$US en bénéfices divisés par les 12,350.00$US en coût par participant (voir plus haut) donnent un rapport bénéfices-coûts de 7.16$ rendus à la société pour chaque dollar investi dans le programme d'intervention. De sorte que ce programme a été un investissement économique extrêmement réussi, meilleur que le rendement de la plupart des utilisations publiques des ressources de la communauté et meilleur que la plupart des investissements dans le secteur privé.

Cette étude du High/Scope Perry et des études semblables suggèrent que des programmes de haute qualité pour les jeunes enfants produisent des bénéfices significatifs à long terme parce que:

1. Ils donnent aux enfants un pouvoir sur leur vie, dans la mesure où ceux-ci sont encouragés à commencer et maintenir leurs propres activités d'apprentissage.

2. Ils donnent aussi aux parents un sentiment de pouvoir, du fait d'être engagés comme partenaires à part entière avec les enseignants dans le soutien du développement de leurs enfants.

3. Ils confèrent également aux enseignants une forme de pouvoir qui leur est procuré par un entraînement systématique et une supervision soutenante.

Ce dernier aspect est particulièrement crucial au succès de ces programmes puisqu'il a été montré que son absence (causée par un effort pour réduire le coût de l'intervention) résulte dans un programme de qualité très inférieure et dans une efficacité à long terme beaucoup moins grande.

En conclusion, il est devenu évident qu'une intervention précoce et intensive peut avoir des bénéfices significatifs aussi longtemps que 23 ans après sa terminaison, en plus de se révéler un investissement économique extrêmement rentable pour la société entière.

Jean-François SAUCIER
psychiatre

Références

Schweinhart L.J. & Weikart D.P. Success by empowerment: the High/Scope Perry Preschool Study through Age 27. Young Children, 1993, 49:54-58.

*N.B. Les lecteurs qui désirent obtenir le rapport complet de cette étude peuvent écrire à:
The High/Scope Press, 600 N. River Street, Ypsilanti, MI. 48198, U.S.A.
Tél.: (313) 485-2000.*

CHRONIQUE DE PSYCHOPHARMACOLOGIE CLINIQUE

Normand CARREY, Sheik HOSENBOCUS
psychiatres

Les nouveaux antipsychotiques en pédopsychiatrie

Jusqu'à récemment, il n'y a eu que peu de progrès dans la recherche sur les antipsychotiques; aussi, sommes-nous particulièrement heureux de rapporter les nouveaux développements dans ce domaine et leur application en pédopsychiatrie. Le sujet de cette chronique concerne deux agents introduits récemment, soit la clozapine (clozaril) et le rispéridone (risperdal). Nous ne discuterons pas des autres agents antipsychotiques traditionnels tels que le mellaril (thioridazine) ou l'haldol (halopéridol) dont les profils thérapeutiques et les effets secondaires sont bien connus[1]. Nos observations porteront sur des cas tirés de notre pratique clinique et de la littérature tout en soulignant le caractère préliminaire de ces premières études.

Le premier cas concerne le rispéridone dont l'utilisation a mené à un haut degré d'adhésion au traitement chez un adolescent schizophrène qui s'était montré résistant aux autres médicaments antipsychotiques. Son séjour à l'hôpital s'en est trouvé d'autant écourté et l'absence d'effets secondaires a permis à ce jeune de poursuivre son traitement médicamenteux tout en étant suivi en clinique externe.

B. avait 17 ans lors de sa deuxième hospitalisation. Il était devenu progressivement de plus en plus isolé; il avait des comportements bizarres, dénués d'affect et ses pensées étaient compatibles avec un délire paranoïde. La mère qui avait été témoin du premier épisode psychotique chez son fils craignait une répétition de sa première décompensation survenue en 1992, alors qu'il était âgé de 15 ans.

L'anamnèse révèle que le patient s'était assez bien adapté jusqu'à sa première hospitalisation. A ce moment, il était devenu paranoïde et son délire de persécution était traversé d'associations sans lien et d'hallucinations auditives. Admis à l'hôpital de sa région, on lui administra de la stélazine dont le dosage fut augmenté jusqu'à 45 mg/jr sans cependant arriver à une amélioration satisfaisante de son état. Il fut alors transféré dans un centre universitaire où on lui prescrivit de l'haldol auquel il répondit bien. Il reçut peu après son congé avec une médication de 4 mg d'haldol et 1 mg/jr de cogentin.

De retour à l'école, il se mit à se plaindre de lenteur au plan cognitif, de lassitude et de manque d'énergie. Comme il était de type sportif, il se trouvait aussi incapable de poursuivre ses activités athlétiques. Il cessa sa médication au printemps 93, en se disant gêné par les effets secondaires qu'elle entraînait. Il put néanmoins continuer ses études et ses activités sportives pendant l'année qui suivit sans ressentir de problèmes. Au printemps 94, il régressa de nouveau et redevint paranoïde et isolé, affichant des comportements bizarres analogues à ceux qu'il avait lors de sa première crise.

Au moment de sa deuxième hospitalisation, il refusa de prendre l'haldol et c'est alors que la stélazine fut réessayée à un dosage allant jusqu'à 45 mg, mais encore une fois sans bonne réponse. A cause de l'urgence de la situation, l'haldol fut administré à raison de 2 mg t.i.d., et ceci malgré les protestations du patient. Le cogentin fut ajouté pour soulager le symptôme de rigidité musculaire. Le clinicien réalisa cependant que le patient cesserait la médication dès qu'il aurait reçu son congé. La médication fut donc changée pour la loxapine à 15 mg t.i.d., sans parvenir à une bonne réponse. Même avec l'addition de la chlorpromazine, à raison de 100 mg au coucher, le patient demeurait paranoïde, refusait de dormir et ne voulait pas quitter sa chambre.

Une consultation fut demandée au deuxième auteur qui recommanda l'utilisation du rispéridone à un dosage de 1 mg b.i.d.. Peu de temps après, le patient se montra plus sociable, moins paranoïde et son attention et sa concentration s'améliorèrent. Il participait aussi plus facilement à la vie du milieu. Il était surtout très content de ne pas souffrir des effets secondaires et se disait d'accord pour continuer de prendre sa médication tout en étant suivi en clinique externe. Il reçut son congé trois semaines après avoir entrepris le traitement au rispéridone et son état s'améliora franchement avec une posologie de 3 mg b.i.d..

Au moment de la visite de suivi, l'adolescent était retourné en classe où il était inscrit dans un programme modifié et il continuait de participer à ses activités sportives. Sa réponse à la médication demeurait excellente et le jeune ne rapportait pas d'effets secondaires, ce qui est un fait assez surprenant dans l'administration d'agents antipsychotiques.

Ce cas démontre de facon concluante que l'utilisation du rispéridone peut résulter en un haut degré d'adhésion au traitement à cause de l'incidence négligeable d'effets secondaires tels que le manque de réactions extrapyramidales et le retard cognitif. Ceci peut s'expliquer par le fait que le rispéridone semble bloquer les récepteurs sérotonergiques 5HT2 de même que les récepteurs dopaminergiques D22. Plusieurs études réalisées auprès d'adultes et d'adolescents de 16 ans et plus ont démontré que l'efficacité de ce médicament était comparable à celle d'autres agents antipsychotiques. Son profil de sûreté est très favorable. Ses effets secondaires consistent surtout en de l'agitation, des étourdissements et des nausées, de la somnolence et de la fatigue, une sécheresse de la bouche, une vision embrouillée, une prise de poids, de la tachycardie, de l'hypotension et des symptômes extrapyramidaux (habituellement transitoires et légers). La posologie en début de traitement est de 0.5 mg b.i.d. et peut être augmentée jusqu'à 3 ou 4 mg b.i.d. (6 mg de rispéridone sont équivalents à 20 mg d'haldol).

Le deuxième cas illustre l'utilisation du rispéridone dans le cas d'une adolescente qui souffrait d'un trouble global du développement caractérisé par un retard mental léger, des troubles de comportement et un monodélire circonscrit à une phobie des microbes.

J. est une jeune fille âgée de 14 ans au moment de la demande de consultation au service de psychopharmacologie. Son histoire développementale montre qu'elle a accusé des retards dans l'acquisition du langage et au niveau de son développement moteur qui a également été lent. Au plan scolaire, elle éprouvait beaucoup de difficultés d'apprentissage. A l'âge de 12 ans, elle avait déclaré avoir été victime d'une agression sexuelle à l'école. Depuis ce temps, elle serait devenue plus agressive envers ses parents et aurait tenté à plusieurs reprises de se suicider, dont une fois en se précipitant devant une voiture.

Après une thérapie individuelle sans résultat, le mellaril et l'haldol furent essayés. Il y eut un certain succès avec l'haldol qui permit une diminution de son agressivité qui fut toutefois de courte durée. Les parents épuisés par les crises de colère de J. demandèrent alors son hospitalisation. L'examen mental fait au moment de l'admission de J. à l'hôpital mit en évidence le symptôme le plus accaparant chez elle, un monodélire à propos d'une phobie des microbes qu'elle croyait avoir dans sa tête. Elle pouvait en parler pendant des heures et était convaincue que les microbes étaient la cause de ses problèmes. Si les parents refusaient de parler de ce sujet avec elle, J. se fâchait et pouvait devenir très agressive.

Elle fut internée pendant huit semaines au cours desquelles la plupart de ses symptômes diminuèrent grâce à la mise en place d'un milieu très structuré. Aucun médicament ne fut administré, sauf l'imipramine vers la fin de son séjour pour contrôler un problème persistant d'énurésie.

C'est au moment où elle reçut son congé qu'elle fut adressée au service de psychopharmacologie. Sans être agressive, son fonctionnement sur les plans académique et social était très bas alors qu'elle était inscrite dans une classe d'aide. Le monodélire persistait toujours, même si J. n'en parlait pas autant. Le clinicien décida d'initier le traitement au rispéridone à raison de 3 mg b.i.d.. Peu de temps après, J. devint moins préoccupée par les microbes et se mit à participer davantage en classe et à se montrer plus sociable avec ses pairs et sa famille. La posologie dut cependant être réduite à 2 mg b.i.d., puis à 1 mg b.i.d., à cause de la somnolence, et la dexédrine à un dosage de 5 mg b.i.d. fut ajoutée pour améliorer le seuil d'attention. J. prend maintenant du rispéridone depuis 14 mois et son état continue de s'améliorer; elle s'applique plus à l'école, est devenue plus sociable et ses troubles de comportement ont disparu.

Ce cas démontre l'utilisation possible du rispéridone chez des patients qui souffrent de troubles de comportement accompagnés soit de retard mental ou d'un trouble de développement global. Il existe encore peu de documentation sur cette indication possible du rispéridone. Cependant, Vanden Borre et coll.[3] ont montré que le rispéridone était efficace pour diminuer les troubles de comportement chez 30 patients souffrant de retard mental. Nous tenons à souligner le caractère préliminaire de ces premières tentatives.

Notre troisième étude de cas concerne la clozapine (clozaril) et est tirée de la littérature[4]. L'auteure a traité **R., une fille âgée de 13 ans**, ainsi que sa cousine qui était âgée de 18 ans pour des épisodes sévères de schizophrénie pubertaire. R. a commencé graduellement à partir de l'âge de 11 ans à développer des hallucinations auditives qui étaient accompagnées d'autres symptômes: compulsion à se laver, écholalie, désorganisation du cours de la pensée, retrait social et retard psychomoteur. A son admission à l'hôpital, un traitement au trifluopérazine (stélazine) fut initié et le dosage fut ensuite augmenté jusqu'à 14 mg/jr. Bien que la réponse fut modeste, la jeune fille se sentit assez bien pour commencer à parler de ses peurs de contamination.

Le tableau clinique à ce moment était compatible avec le diagnostic de trouble obsessif-compulsif ou avec celui de désordre psychotique non spécifique. Le Prozac fut ajouté à raison de 40 mg/ jr sans apporter d'amélioration sensible à ses peurs de contamination. D'autres comportements bizarres s'installèrent à ce moment chez R., tels que se brûler avec de l'eau chaude et manger du savon. On cessa le Prozac et la clomipramine (anafranil) fut administrée et augmentée jusqu'à 75 mg/jr. La jeune fille répondit assez bien à ce traitement et reçut son congé quatre mois plus tard.

Quelques mois plus tard, les hallucinations auditives reprirent à nouveau, même si la patiente suivait bien son traitement. En plus des hallucinations, elle se croyait constamment épiée par les prises de courant. On arrêta alors la clomipramine et la stélazine fut augmentée à 25 mg/jr. Le diagnostic fut alors révisé pour celui de schizophrénie de type paranoïde.

Malgré ces interventions, le tableau clinique continuait de se détériorer. La jeune fille avait développé des hallucinations auditives (elle entendait des voix qui lui donnaient des ordres), elle refusait de quitter son lit, vomissait sa nourriture et se grattait la peau avec un couteau en réaction à ses peurs d'être contaminée. Elle fut réhospitalisée et le diagnostic de nouveau modifié en celui de schizophrénie de type catatonique. On cessa la stélazine qui fut remplacée par le pimozide dont le dosage fut limité à 16 mg/jr, en raison de changements notés à l'électrocardiogramme (prolongation de l'intervalle QTC). Le tableau clinique s'était aussi compliqué par un délire de référence et des pensées suicidaires.

L'enquête faite auprès de la famille révéla que T., une cousine de R., avait été diagnostiquée schizophrène à l'âge de 13 ans. Entre 13 et 18 ans, T. fut hospitalisée à plusieurs reprises et traitée avec divers neuroleptiques qui eurent cependant peu de succès. A 18 ans, on prescrivit la clozapine à une posologie allant jusqu'à 600 mg/jr et T. répondit très bien au traitement. Une diminution de ses symptômes psychotiques s'ensuivit et T. n'a pas eu besoin d'hospitalisation depuis. Elle a pu retourner à l'école secondaire et a été capable de s'inscrire ensuite à un collège communautaire à temps partiel et de travailler dans un restaurant.

La décision fut donc prise par les cliniciens et acceptée par les parents d'administrer à R. de la clozapine à raison de 12.5 mg b.i.d., en augmentant la dose par palier de 12.5 mg. La jeune fille commença à répondre à la médication lorsque celle-ci atteignit un niveau de 250 mg/jr; il y eut alors une diminution de sa tendance à se brûler en réaction contre ses peurs de contamination. Par contre, les hallucinations auditives persistaient toujours et on porta le dosage jusqu'à 550 mg/jr, niveau auquel les hallucinations auditives disparurent ainsi que l'état délirant. Après 4 mois d'hospitalisation, R. avait fait assez de progrès pour recevoir son congé. Un suivi de 14 mois à la suite de son hospitalisation a montré qu'elle continuait de faire des gains au plan de la socialisation, et même si sa personnalité demeurait fragile, elle n'était pas redevenue psychotique.

En termes d'effets secondaires, on a par contre remarqué que R. a pris du poids, qu'elle souffre de salivation excessive surtout le soir (sialorrhée nocturne), et qu'elle a temporairement développé de l'énurésie nocturne. Son profil sanguin doit être relevé chaque semaine pour surveiller une atteinte possible des globules blancs. Il faut ajouter ici que la clozapine peut causer des crises d'épilepsie dont l'incidence est de 5% dans le cas de dosages élevés (600 à 900 mg/jr). D'autres effets secondaires notés sont la somnolence (39%), la tachycardie (25%), l'hypotension orthostatique (9%), une sécheresse de la bouche, une vision embrouillée et des symptômes extrapyramidaux légers (de 3 à 6%). Jusqu'à présent, aucun cas de dyskinésie tardive n'a été rapporté en rapport avec la prise de ce médicament.

En résumé, deux nouveaux agents viennent de s'ajouter à la liste d'agents antipsychotiques mais ils ont été jusqu'ici testés surtout chez des adultes schizophrènes. La clozapine demeure pour ces derniers un médicament de deuxième ou troisième ligne ou de maintien, en raison de ses effets secondaires sur la formule sanguine, et de symptômes de somnolence et d'incapacité de contrôler l'agitation reliée à la crise psychotique (l'haldol est supérieur à cet effet). Ce médicament est réservé surtout pour contrôler les symptômes négatifs de la schizophrénie. Cependant, les patients adultes ou enfants qui ne répondent pas bien aux autres antipsychotiques peuvent occasionnellement bénéficier de la clozapine.

Le rispéridone, pour sa part, s'est avéré très efficace chez les adultes et les adolescents de 16 ans et plus. Nous n'avons pas trouvé de cas de jeunes de moins de 16 ans à qui le rispéridone ait été administré, mais le risque négligeable d'effets secondaires rapportés est fort encourageant et indique que ce médicament pourrait être utile dans le cas d'adolescents qui tolèrent mal les effets secondaires entraînés par d'autres agents antipsychotiques. De plus, la clozapine et le rispéridone semblent indiqués dans les cas où il s'agit de contrôler des troubles de comportement sévères accompagnant soit un retard mental ou un trouble global du développement.❖

Nous tenons à remercier le docteur Simeon de son assistance dans le choix des cas cliniques. La prochaine chronique portera sur les anxiolytiques. Nous invitons nos lecteurs et lectrices à partager leurs expériences et à nous faire parvenir leurs commentaires dont nous ferons état dans un prochain numéro. Le courrier doit être adressé comme suit:

Département de pédopsychiatrie
Hôpital Royal d'Ottawa
1145, avenue Carling
Ottawa, Ontario K1Z 7K4

Notes

1 Voir à ce sujet l'article de Sloman dans Psychiatric Clinics of North America, 1991.
2 Voir l'International Drug Therapy Newsletter, février 1994.
3 Voir Acta Psychiatrica Scandinavica, 1993.
4 Voir Jacobsen, in Journal of the American Academy of Child Psychiatry, 1994.

Note de l'éditeur:

Dans la chronique précédente consacrée aux antidépresseurs, le passage suivant n'apparaissait pas:

Les auteurs tiennent à remercier les docteurs Simeon, Thatte et Milin qui ont fourni des matériaux cliniques et participé aux discussions sur les sujets présentés.

Nous nous excusons de cette omission.

Champ d'intérêt et objectifs de la revue

P.R.I.S.M.E. vise la promotion de la théorie, de la recherche et de la pratique clinique en psychiatrie et en santé mentale de l'enfant et de l'adolescent, incluant toutes les disciplines afférentes, par la publication en langue française de textes originaux portant sur le développement et ses troubles, sur la psychopathologie et sur les approches biopsychosociales déployées dans ce champ. L'apport grandissant de nombreuses disciplines connexes aux progrès réalisés en pédopsychiatrie et en psychologie du développement incite la revue à encourager les contributions des membres de ces diverses spécialités.

Chaque numéro comprend un dossier sur un thème d'intérêt regroupant des textes qui cherchent à approfondir divers aspects de la question. Ce dossier est élaboré par l'équipe de rédaction ou par un groupe de professionnels particulièrement intéressés à un sujet donné qui pourra agir à titre d'éditeur invité avec le support technique de l'équipe.

Les textes doivent présenter une qualité autorisant leur publication auprès d'un public constitué principalement d'intervenants, de cliniciens, d'enseignants, d'étudiants universitaires et de chercheurs. Ils pourront prendre l'une ou l'autre des formes suivantes: revue de littérature, présentation de cas, rapport de recherche, essai théorique, synthèse ou rapport de lecture.

Les articles soumis doivent apporter une contribution originale aux connaissances empiriques, à la compréhension théorique du sujet abordé ou au développement de la recherche clinique. Les revues de littérature passeront en revue un important champ d'intérêt en santé mentale de l'enfant et de l'adolescent ou des interventions spécialisées auprès des enfants et de leurs familles. Les présentations de cas couvriront des questions cliniques importantes ou innovatrices sur le plan du diagnostic, du traitement, de la méthodologie ou de l'approche.

Les personnes engagées dans une activité de recherche en psychiatrie de l'enfant, en psychologie du développement et dans des disciplines connexes, sont invitées à communiquer à la revue un aperçu d'une recherche en cours ou récemment achevée. Ces rapports présenteront de façon aussi concise que possible la recherche effectuée incluant la méthodologie et les tests utilisés, l'ensemble des résultats, leur discussion et les références spécifiques au domaine en question.

Par ailleurs, des présentations d'intérêt faites dans le cadre de colloques ou de journées d'études pourront être publiées. De même, les personnes ayant produit un document vidéo portant sur la santé mentale de l'enfant ou les domaines voisins sont invitées à en faire parvenir une brève description. Enfin, le courrier des lecteurs est offert comme tribune à tous ceux qui voudraient réagir à des textes déjà publiés dans la revue ou qui désireraient faire état de questions posées par la pratique dans leur milieu professionnel.

A L'INTENTION DES AUTEURS

Toute personne intéressée à soumettre un texte à la revue est invitée à le faire en tenant compte des règles de présentation suivantes.

Le texte soumis doit être dactylographié à double interligne et sa longueur ne doit pas excéder 15 pages. Les tableaux, figures et illustrations seront numérotés et produits sur des pages séparées et leur emplacement dans le texte indiqué dans chaque cas. Les citations doivent être accompagnées du nom de l'auteur et de l'année de publication du texte cité, sans numérotation; de même, les références à des livres ou articles sont placées dans le texte en mentionnant le nom de l'auteur entre parenthèses.

La liste des références en fin de texte ne doit contenir que les noms des auteurs cités dans le texte; pour sa présentation, on se reportera aux exigences pour les manuscrits présentés aux revues biomédicales (Can Med Assoc J., 1992) ou aux numéros précédents de la revue.

L'auteur doit faire parvenir trois exemplaires sur papier de son texte (+ disquette 3.5 Word Perfect IBM ou Word MacIntosh) accompagné d'un résumé en français et en anglais et d'une brève note de présentation indiquant sa discipline professionnelle et ses champs d'activité. Le texte sera soumis anonymement à trois membres du comité de lecture pour arbitrage et leurs remarques seront ensuite communiquées à l'auteur.

Aux auteurs dont la langue maternelle est autre que le français, la rédaction offre un service de révision linguistique pour faciliter l'édition de leurs textes.

Adresse de la Rédaction:
Revue P.R.I.S.M.E.
Département de psychiatrie
Hôpital Sainte-Justine
3100, rue Ellendale
Montréal (Québec), H3S 1W3.

Pour toute autre information, s'adresser à Mme Denise Marchand.
Tél.: (514) 345-4695 poste 5701.
Télécopieur: (514) 345-4635.

P.R.I.S.M.E.
Service des publications
Hôpital Sainte-Justine
3175 chemin de la Côte Sainte-Catherine
Montréal, Québec
H3T 1C5

ABONNEMENT (4 NUMÉROS)

Particulier	( )	40.66$
Étudiant	( )	27.82$ (Photocopie de la carte en cours de validité)
Institution	( )	74.90$
De soutien	( )	85.60$
Étranger	( )	53.50$ (individuel)
	( )	85.60$ (institutionnel)

Nom .... Profession ....
Âge .... Sexe .... Lieu de travail ....
Adresse .... App. ....
Ville .... Province .... Code postal ....
Téléphones.: Résidence .... Travail ....

Paiement par chèque ou mandat-poste à l'ordre de: **P.R.I.S.M.E., Hôpital Sainte-Justine.**
Étranger: mandat-poste international en devises canadiennes.

Pour informations: Mme Thérèse Savard, (514) 345-4671
Les prix incluent la poste, la manutention et les taxes.

ANCIENS NUMÉROS

Il vous manque un P.R.I.S.M.E.? Le voici.
Complétez votre collection (cochez les numéros désirés). Retrouvez le dossier ou l'article qui vous intéresse.
Commandez dès maintenant

1990 - 1991
( ) Vol. 1 no 1 La paternité
( ) Vol. 1 no 2 Approches transculturelles: communauté immigrante haïtienne
( ) Vol. 1 no 3 Le sommeil et le rêve chez l'enfant
( ) Vol. 1 no 4 Le silence chez l'enfant

1991 - 1992
( ) Vol. 2 no 1 Autour de la naisance
( ) Vol. 2 no 2 L'art et l'enfant
( ) Vol. 2 no 3 Adolescence et expériences d'intervention
( ) Vol. 2 no 4 L'enfant atteint de maladie chronique

1992 - 1993
( ) Vol. 3 no 1 Abus et négligence: l'enfant, sa famille et le système
( ) Vol. 3 no 2 L'hyperactivité
( ) Vol. 3 no 3 L'école et la gestion des différences
( ) Vol. 3 no 4 Regard critique sur le placement des jeunes enfants

1994 -
( ) Vol. 4 no 1 Perspectives en recherche clinique